쫄의 기원 : 현대의 보편

인간과 먹이, 그리고 지구에서 화성까지

LP

꿈꾸는하루
2019년 09월 16일 개설(前.강남 "심야책방")

꿈을 꾸고 이루는 하루가 되도록!
생각을 나누며 함께 성장하는 독서모임입니다.

이 작은 모임에서 시작한 더 작은 프로젝트. LP.

다윈의 위대한 업적과 인간의 위치에 대한 각성을 낳게 한 그 섬,
그러나 요즘 한 세계에만 갇혀 부진한 삶을 사는 모습을 가리켜
갈라파고스라고도 합니다.

나의 생각과 감상을 풀어내는 능력을 같이 길러나가고자 모인
사람들. 잘하는 사람만을 위한 것이 아닌, 잘하는 사람이 있다면
보고 배우고, 부족한 부분은 도와가면서.

고립
그 자체를 경계.
종의 기원으로
과거로, 미래로 항해하며 떠오르는 질문과 사색,
지식의 공유. 확장.

2024. 02. 16
뎁씨, 은수, 연경, 람, 윤정, 명진

LP

종의기원

Start

LP : 좀의 기원 모임을 시작하며

Long Term Encouragement (장기적 격려) Project

시대는 지나갔지만, 인류사에 길이남을 명반과 같은 거장의 책들이 많이 있습니다. 살면서 '이걸 읽어봤단 말인가?' 라고 눈이 뜨일 만큼 두툼한, 한편으로 '상식'이라는 말로 소문만 자자하고 사실 읽어본 자는 손에 꼽는다는 그런 대작들.

그런 책을 계절마나 하나씩 선정해 같이 격려해 가며 읽어나가는 모임. 지정도서로 단 한번 몇 시간 깔짝 만나서 인증하면 그만인 시간이 아니라, 스스로의 노력이 아쉽지 않게 시간을 들여서 같이 읽어가고 자주 공유하고 이야기하며, 하나의 책 아래 여러 번 더 깊어지는 그런 모임을 생각했습니다.

처음부터 모임 한 내용을 하나의 기록으로 만들어 낼 계획으로 시작된 모임. 기억만 남는 게 아니라 정말 무언가 남는 모임. 그 여정을 같이 나섰던 기록을 나눠보려고 합니다. 독서모임이라는 것이 으레 책은 핑계고, 사실 술과 음악만 빠진 클럽같이 사람들을 만나기 위한 자리가 되기도 하는 것도 아니라고 부정할 수 없는 형태가 되기도 합니다. 그에 반해 공부하던 시기를 지나면 공부가 멈춰 버리는 어른, 그 어른들 중 누군가는 공부와 또 한 시대의 지식을 놓치지 않고 잡아보겠다 애쓰는 사람도 있습니다.

　책은 당연 재미로 봐도 그만이고 누구에게나 같은 의미일 수는 없겠지만, 한 번쯤은 진중하게 콘텍스트의 핵심을 짚어내고 그것을 예리하게 글이나 말로 꺼내보고 싶은 사람도 있습니다. 이렇고 저런 마음을 모아 출발했던 LP#1기

그 모험의 첫 번째 책 '종의 기원'을 시작합니다.

저명한 과학 상식책 '과학수다' 시리즈의 작가 (공동) 이명현 작가이자 과학자이자 커뮤니케이터이자 기타등등 님이 동료 과학자(교수) 분들과 삼청동에서 교양과학책방(카페)를 운영중입니다. 그 이름 '갈다' 인데요, 왜 갈다인가 하니 함께하는 과학자들이 인류의 과학을 펼쳐낸 최고의 과학자를 꼽으라면 갈릴레이와 다윈을 꼽았기 때문이라고 합니다.

찰스 다윈, 종의 기원이라는 책을 썼고 교과서에 그냥 나오는 인물이긴 한데 대체 어떤 업적이 있는 것인가. 종의 기원이라는 책이 유명하고 또 당시 종교와 갈등이 있었다는건 대개 아는데 단순히 '진화론'을 넘어서 과학적으로, 인류역사적으로 어떤 의미가 있길래 그런가.

B B C 선정 위대한 영국인				
[펼치기 · 접기]				
100 Greatest Britons				
※ 2002년 영국 BBC 방송이 영국인을 대상으로 실시한 여론조사를 바탕으로 '가장 위대한 영국인 100명'을 선정				
TOP 10				
1위	2위	3위	4위	5위
윈스턴 처칠	이점바드 킹덤 브루넬	다이애나 스펜서	찰스 다윈	윌리엄 셰익스피어
6위	7위	8위	9위	10위
아이작 뉴턴	엘리자베스 1세	존 레논	호레이쇼 넬슨	올리버 크롬웰

https://en.wikipedia.org/wiki/100_Greatest_Britons

세계사에 무슨 일이 있었다면 그곳에 반드시 영국이 있다는 말이 있을 만큼 근대에 세계적 영향력을 행사해 온 영국,

그만큼 수많은 위인들이 있었을 텐데요 BBC에서 선정한 위대한 영국인 top 100, 그중 top 10, 4위에 찰스 다윈이 있습니다.

뭔가 우리에게 음? 하며 크게 와닿지 않는 사람이긴 합니다. 오히려 우리에게는 뉴턴이 더 중요하지 않나?라고 생각이 들고 특히 영문학을 전공했던 저에겐 셰익스피어보다 더 위에 랭크된 다윈에게 관심이 갈 수밖에 없었습니다.

영국의 황금기를 이끌었던 엘리자베스 1세도 나라를 내줄 순 있어도 셰익스피어는 내주지 못한다고 했지만, 그 위에 있는 다윈이란. 우리나라의 저명한 과학자들도 인류사 top으로 꼽고, 물리학의 아버지 아이작 뉴턴보다도 위로 꼽히는 찰스 다윈. 그가 썼던 종의 기원에는 어떤 의미들이 있었을까? 우리는 그 의미들을 어떻게 짚어나가게 될까? 함께할 우리의 철학과 시선이 이 역사를 따라감에 어떠한 빛들을 내게 될지 기대합니다.

** 이 책의 모든 본문 인용은 찰스다윈, 다윈포럼 기획 저자 (글) 장대익 번역 * 최재천 감수 본을 기반으로 하였습니다.

Index

종의 기원 인근의 역사적 배경

Part 01 - Day 1

Part 02 - Day 2 : 지구에서 화성까지, 찰스 다윈

종의 기원 인근의 역사적 배경

먼저 1800년대 찰스다윈이 살아있던 시대 - 종의기원 발간 전 주요 세계사(서양) 연보입니다.

1804년 - 리처드 트레비딕이 펜-이-다렌 이라는 첫 증기
         기관차 발명. 프랑스의 식민지였던 아이티 독립.
1805년 - 트라팔가르 해전에서 호레이쇼 넬슨 제독의 영국
         해군이 나폴레옹의 프랑스 해군 격파.
1806년 - 나폴레옹 보나파르트에 의해 신성 로마 제국 해체.
1812년 - 나폴레옹 보나파르트가 러시아 원정을 감행.
1812년 - 미영전쟁 발발
1813년 - 첫번째 대양진출 패들 스팀선, '익스페리먼트'
1814년 - 빈 회의가 개최.
1821년 - 오스만 제국 내부의 그리스 독립전쟁 시작
1822년 - 브라질이 포르투갈로부터 독립.
1825년 - 세계 최초로 상용화에 성공한 증기 기관차,
         로코모션 1호 탄생
1826년 - 세계 최초의 철도, 영국에서 부설.
1832년 - 그리스 왕국 건국
1834년 - 영국 빈민법 개정. 노동자들의 사회적 입지 축소.

1837년 - 영국 빅토리아 여왕 즉위.

　　　　이때부터 1901 까지를 빅토리아 시대라고 부른다.

1839년 - 영국, 아편전쟁 시작,

1842년 - 청나라의 첫 근대조약인 난징조약 체결

　　　　대영제국과 청나라간의 자유 무역 시작

　　　　영국의 홍콩 지배.

1848년 - 유럽 1848년 혁명, 미국, 멕시코 북부 구입

1851년 - 청나라, 태평천국운동 시작

1853년 - 오스만 제국 / 러시아 제국 사이 크림 전쟁 발발

　　　　쿠로후네 사건으로 일본 개항

1857년 - 세포이 항쟁 진압, 영국이 무굴 제국을 멸망시킴.

1858년 - 영국, 인도를 통치하기 시작, 총독 파견.

그리고 같은 시기의 종의기원 발간 당시 조선의 연표입니다.

1801년 - 천주교 금지령

1811년 - 홍경래의 난

1827년 - 효명세자 (익종) 대리청정

1834년 - 헌종 조선 제 24대 임금 등극

1836년 - 남응용의 모반사건

1844년 - 민진용의 옥

1845년 - 영국 군함 불법 측량 후 퇴거
1846년 - 프랑스 세실제독 함대가 국서 전달
1849년 - 철종 조선 제 25대 임금으로 등극
1860년 - 동학 탄생
1862년 - 진주 민란
1863년 - 고종 조선 제 26대 임금 등극

1800년대 (19세기)는 동서양을 막론하고 세계급 문명과 문명이 충돌하고, 사상과 사상이 충돌하던 시기였습니다. 이는 천주교 금지령을 내리는 선택을 한 조선도 다르지 않았습니다. 다윈의 종의 기원은 이러한 인류가 겪어보지 못했던 최초의 세계적 혼란 속에서 세상에 선보여진 것입니다.

특히 과학 발명품이라 주요 연표에는 나와있지 않지만 1840년대에는 모스부호를 이용한 전보(telegraphy)가 사용되기 시작했고, 세계는 사실상 최초로 지구 끝에서 끝으로 '실시간' 정보의 교류가 이론적으로 가능하게 되었습니다. 당시 다윈의 이야기도 전보를 타고 영국뿐만 아니라 세계적으로 뻗어 나갔을 것이고, 아마 조선도 다르지 않았을 것 같습니다.

특히 이 시기에 여성 작가들이 역사에 이름을 처음 올리게 되는데요, 영문학에서는 19세기 여성문학을 말 그대로 '개혁'의 결정체라고도 표현합니다. 페미니즘의 시작이라고 할 수 있는 '여성의 권리 옹호'를 시작으로 이때 여성작가들의 작품들을 나열해 보면

- 여성의 권리 옹호 (1792) : 메리 울스턴크래프트
- 오만과 편견 (1813) : 제인 오스틴
- 프랑켄슈타인 (1818) : 메리 셸리
- 제인 에어 (1847) : 샬럿 브론테
- 워더링 하이츠(폭풍의 언덕, 1847) : 에밀리 브론테
- 성직자의 생활 (1857) : 조지 엘리엇

여성의 권리와 남녀를 떠난 인간의 그 자체의 존엄성, 과학적 사고. 종교(신앙) 절대주의를 떠나 생명에 대한 연역적, 귀납적 사고를 제시한 종의 기원은 말 그대로 세상을 바꿔놓기에(세상이라기보다 인간의 가치관) 충분했습니다.

Part1 (Day1)

Chapter 요약 (by 은수)

1장 사육과 재배 하에서 발생하는 변이

뛰어난 안목을 가진 사육자가 일반적으로는 절대로 알아채지 못할 연속된 세대들의 미묘한 차이를 한쪽 방향으로만 누적시킴으로써 위대한 결과 (품종 개량)을 얻을 수 있다는 데 바로 선택의 중요성이 있다.

옮긴이의 말에 따르면 당시 19세기 빅토리아 시대의 영국 사회에서는 육종을 통해 특이하게 생긴 비둘기나 개를 만들어 내는 일이 그야말로 대유행이었기 때문에, 1장을 비둘기와 개에 관한 이야기로 시작한 다윈의 접근법은 비범한 글쓰기 전략이었다고 한다.

2장 자연상태의 변이

이와 같은 설명을 통해 독자들은 종이라는 것이 서로 매우 닮은 개체들의 집단에게 편의상 임의적으로 붙인 용어이며, 덜 뚜렷한 특징을 보이고 변화가 심한 형태들을 일컫는 용어인 변종과 본질적으로 다를 바가 없다는 나의 견해를 이해하게 되었을 것이다. 이렇게 본다면, 변종도 개체 차이와 비교할 때 단지 편의상 붙인 용어라고 할 수 있다. 현대의 종에 대한 정의는 다음과 같다. '서로 번식이 가능하고, 서로 간에 자

발적으로 번식 행위를 하며, 그렇게 해서 나온 자손이 번식능력이 있는 무리'

평균적으로 가장 많이 변이하는 것은 큰 속에 속한 가장 번성하고 우세한 종 (우점종). 우점종은 자손을 남기기가 매우 쉽고 또 그 자손은 약간의 변화가 일어나기는 하겠지만 여전히 그들의 부모가 그 지역에서 가장 우세한 지위를 차지하도록 만들어 준 이점들을 그대로 물려받을것이기 때문이다

종이 한때는 변종으로 존재했다가 그렇게 변한 것이라 가정할 경우, 우리는 그러한 유사성을 확실하게 이해할 수 있다. 반면, 만일 종이 각기 독립적으로 창조되었다고 가정한다면 이러한 유사성을 설명할 방법은 전혀 없을 것이다.

3장 생존 투쟁

이 투쟁은 거의 언제나 동종의 개체들 사이에서 가장 심하게 일어날 것이다. 그들은 동일한 지역을 점유하고 동일한 먹이를 필요로 하며 동일한 위험에 노출되어 있기 때문이다

각 유기체들은 기하급수적인 비율로 개체 수를 증가시키려 애쓰고 있고, 각 세대 동안이나 세대 사이의 특정 시기에 생존을 위한 투쟁을 해야 하며, 파멸의 위기를 겪어야 한다

언뜻 보면 맬서스의 인구론을 차용한 문장 같지만 토마스 홉스의 만인의 만인에 대한 투쟁이라는 말이 생각나기도 하는 대목이다. 전쟁과 기아, 학살 같은 일들이 개체 수 유지를 위해 인류가 발명한 진화 방식이라는 섬뜩한 생각이 들면서도, 홉스의 사상을 통해 민주적 사회계약론이 태동하고 인류는 동종의 개체들 사이에서의 생존 투쟁을 현명하게 줄여 나갔다는 점에서 인류의 위대함을 다시 한번 확인할 수 있었다. 수많은 멸절의 가능성 속에서 꽤나 훌륭한 선택을 해왔다는 사실이 놀랍다.

4장 자연선택

어떤 종이 변화되어 개량된다면 다른 것들 또한 그에 상응하는 정도로 개량되어야만 할 것이다. 그렇지 않으면 그것들은 멸절할 것이기 때문이다. 또한 새로운 형태들 각각은 그것들이 충분히 개량된 직후에 개방된 넓은 공간을 통해 멀리 퍼져 나갈 수 있을 것이고, 그로 인해 많은 다른 생물들과 경쟁할 것이다. 따라서 더 많은 새로운 자리가 형성되며 그 자리를 차지하기 위한 경쟁은 격리된 좁은 지역에 비해 더욱 치열할 것이다.

종 간에 치열한 경쟁을 해야 하는 곳에 서식하는 경우 습성 및 체질의 차이와 더불어 구조의 다양성이 주는 이점은 그곳에서 함께 서식하면서 서로 가장 격렬하게 다투는 동물들이 대개는 소위 다른 속이나 다른 목에 속하도록 만든다는 것을 알 수 있다.

농부들은 매우 별개인 목에 속한 식물들을 윤작함으로써 최대 생산량을 얻을 수 있다는 사실을 알아냈는데, 말하자면 자연은 동시적인 윤작을 하고 있는 셈이다. 생물들은 이렇게 서로 간에 보이지 않는 군비경쟁을 하고 있다. 남이 강해지면 나도 따라서 강해져야 한다.

5장 변이의 법칙들

　어떤 종에 속한 변종들이 다른 종의 서식 지역에 들어가게 되었을 때 그 종의 형질 일부를 약간 얻는 경우가 종종 있다는 사실은 모든 종은 그저 명확히 구별되는 영속적인 변종에 불과하다는 견해에 잘 부합한다.

연관 성장

　나는 유기체의 전체 조직은 그것이 성장하고 발달하는 동안에 매우 긴밀하게 연관되어 있어서 어떤 한 부분에 조그마한 변이가 일어나면 그리고 이것이 자연 선택을 통해 누적되면, 다른 부분 또한 변화하게 된다는 의미로 이 표현을 사용한다.

자연의 계층 구조에서 하위에 있는 것들은 그보다 상위에 있는 것에 비해 더 잘 변이하는 경향이 있다. 하등하다는 것은 그 유기체의 여러 부분에 어떤 특정 기능을 수행하기 위한 전문화가 미흡하다는 뜻으로 간주할 수 있다. 이는 모든 종류의 물건을 잘라야 하는 칼은 어떤 형태여도 상관없지만, 어떤 특수한 목적을 위해 쓰이는 칼은 특정한 모양을 갖고 있는 편이 더 좋은 것과 동일한 원리다.

각각의 종이 독립적으로 창조되었다는 일반적 견해에 따르면. 도대체 왜 독립적으로 창조된 같은속의 다른 종에서 거의 유사하게 나타나는 부분보다 그 부분과 차이를 보이는 구조에 변이가 더 심하게 일어나는 것일까? 종이라는 것이 뚜렷한 특징을 가진 고착화된 변종이라는 견해에 입각한다면, 우리는 비교적 최근에 변화되어 온 부분에 구조상 여전히 변화가 계속되고 있는 경우가 많아서 결국 차이점을 보이게 되는 것이라고 확실히 예상할 수 있다.

각각의 종이 독립적으로 창조되었다는 일반적 견해에 따른다면, 이 세 식물의 거대 해진 줄기에서 이러한 유사성이 나타나는 원인을, 그저 관련성이 매우 깊은 세 번의 창조가 따로따로 일어났기 때문이라고 설명해야만 한다. 그것들이 동일한 조상으로부터 내려온 자손들이어서 결과적으로 유사한 방식으로 변이하는 경향을 가지게 되었기 때문이라는 진정한 이유(Vera Causa)를 제시하지 못하면서 말이다.

6장 이론의 난점

개체 각각이 현재 우리가 볼 수 있는 모습 그대로 창조되었다고 믿는 사람은 간혹 전혀 일치되지 않는 습성과 구조를 가진 동물들을 보고 깜짝 놀랄 것이다. 육지에 사는 오리, 날지 못하는 오리 등.

개별적으로 무수히 많은 창조 행위가 일어났다고 믿는 사람은 이러한 경우 개체가 가졌던 어떤 형태가 다른 것으로 바뀌는 것이 창조자의 뜻이라고 말할 것이다. 그러나 그런 설명은 어떤 사실을 그럴싸한 언어로 바꿔 말하는 것에 지나지 않는 것이라 생각한다. 사실 이 뜻 자체가 자연선택이다.

7장 본능

본능들이 늘 절대적으로 완벽한 것은 아니며 오류도 있다는 사실, 오로지 다른 동물들을 위해 만들어진 본능은 없고 각 동물은 다른 동물들의 본능을 이용한다는 사실, "자연은 도약하지 않는다." 라는 박물학의 근본 원리는 신체 구조와 마찬가지로 본능에도 적용할 수 있다는 모든 사실들이 자연 선택 이론을 확실히 지지한다.

멤버들의 발제문과
서로의 생각을 이야기 하는 시간들

Q.먼저 종의 종 기원을 읽으면서 처음 들었던 생각들은?

뎁씨 :

저는 문학을 좋아하는 사람입니다. 그리고 책을 선택할 때 항상 중요하게 보는 것이 제목과 첫 번째 문장인데요, 종의 기원이라는 제목의 책은 200년이 지난 문학도 철학도 아닌 연구한 결과에 의거해 서술한 '과학서'이지만 무엇이 그 세대를 흔들리게 만들었는가?라는 의문을 지우기 힘들었습니다. 사실 다윈 이전에도 생물학과 유전학에 대한 다양한 연구와 생각, 사상은 충분히 만연했기 때문입니다. 인간이 정착한 그 순간부터 그런 의문점은 출발했을 겁니다.

앞서 말한 것처럼 저에게 중요한 것은 '첫 번째 문장'인데요, 600장에 이르는 긴 '말'을 꺼내놓기 위해 당신은 어떤 말을 하겠습니까? 어떤 말부터 시작하겠습니까? 이 긴 서사를 띄우는 첫 번째 한마디, 그 첫 번째 문장과 첫 번째 챕터부터 저의 위의 궁금증을 바로 해소해 주었던 것입니다.

"우리가 오랫동안 키워 온 동식물 중에서 동일한 변종이나 아변종에 속하는 개체들을 살펴볼 때 우리를 가장 먼저 놀라게 만드는 사실은 일반적으로 그것들이 자연상태에 있는 어떤 동일한 종이나 변종에 속하는 개체들보다도 훨씬 더 상호 차이가 크다는 점이다. p47"

여기서 '우리를 가장 먼저 놀라게 만드는 사실(one of the first points which strikes us)' 이 부분이야 말로 세상을 계몽하기 충분하지 않았을까 싶습니다. 우리는 주변의 생물들에 대해 무지하기도 하고, 그래서 무관심하기도 합니다. 옆집의 푸들과 우리 집의 포메라니안 볼 때 우리는 '어머 귀여운 강아지네'로 사고는 종료됩니다. 아마 과거의 산업혁명이 오기 이전, 어쩌면 다윈 이전의 사람들은 같은 상황에서 '세상에 하느님께서 이렇게 귀여운 걸 창조하셨어, 아멘'이라고 했을 겁니다.

물론 다윈 이전에도 수많은 학자들이 종의 다양성에 대한 기록을 해두고 있었겠지만, 대중에게 보편적으로 당시로서 위험한 생각을 하게 하는 강렬한 메시지를 다윈은 전하게 됩니다. '저 두 마리의 푸들과 포메는 들개와 크게 다르지 않아, 하지만 어찌어찌 세대를 거쳐서 이렇게 서로 달라졌지. 하나님의 천지창조 이후에도 말이야'

이 책을 읽으면서 인간의 보편적인 시대적 사고관념을 흔드는 것은 확실한 증거와 그 증거를 바탕으로 연관성을 도출해 내는 그야말로 과학적인 시각이라는 겁니다. 사실 아이디어라는 것들도 생각과 생각사이의 연관성을 만들어내는 데에서 시작하는데, 그 누구도 개연성을 생각지 못했던 긴 지구의 시간 동안의 생물적 사건들에 대하여 그것들을 한큐에 꿰어내는 통찰이라는 것이 이런 것이구나 라는 생각이 들었습니다.

람 :

찰스다윈 입장에서 생각을 해봤습니다. 다윈도 기독교인으로서 어렸을 때부터 창조론으로 교육을 받았을 것이고 당연하게 생각했을 것입니다. 하지만 직접 실험을 하고 책을 쓰면서 어? 이게 아닌데?라는 생각을 했을 것 같습니다. 책을 집필하고 발표하기까지 사회적 파장을 예상해서 고민이 얼마나 많았을까 생각해 봅니다. 악명(?)에 비해 가독성이 나쁘지 않았던 것 같습니다. 그 무엇보다도 찰스 다윈의 고뇌가 느껴지는 책이었습니다.

은수 :

야끼우동을 좋아하시나요?

대구에 야끼우동을 개발했다는 중화반점을 찾아갔을 때의 일입니다. 달고 맵고 감칠맛 나는 야끼우동 맛에 익숙해진 저로서는 원조 맛집의 생각보다는 슴슴한 맛에 놀랐는데, 단맛도 거의 없었습니다. 하지만 분명 야끼우동의 원형으로써 충분히 저의 미식적 호기심? 을 충족시켜 주는 맛이었고, 다른 야끼우동을 먹을 때 기준점이 되는 맛으로 제게 항상 남아있습니다. 다윈의 종의 기원도 비슷합니다. 생물학이라는 거대한 장르의 원조 맛집 격인데, 이 집 역시 슴슴하지만 저의 탐구 정신을 활활 불타오르게 하는 맛이었습니다.

학문을 창시한 책이라는 지위는 생각보다 더 단순하지 않습니다. 김상욱 교수의 강연에서 완벽한 책을 쓰는 법에 대한 설명을 들은 적이 있습니다. 역사상 최초로 쓰인. 틀린 문장이 없는 완벽한 책은 유클리드의 기하학이었는데. 그 이유는 참인 공리를 가지고 그 공리에서 파생되는 내용으로만 책을 썼기 때문이라고 합니다. 명제가 참임을 증명하고 참인 명제로만 글을 쓰면 그 글도 참이 됩니다. 이러한 증명 구조를 가지고 체계화되어 온 생명과학이라는 분야에서, 그 거대한 책을 쓸 수 있게 만든 최초의 공리가 바로 종의 기원이라는 생각을 하게 되었습니다.

마치 세상의 기원을 알기 위해 더 먼 우주를 관찰하는 천문학자처럼, 최초의 공리를 탐구함으로써 깨닫게 되는 부분들이 많을 것 같다는 기대를 하며 책을 읽어나갔습니다

연경 :

종의기원에 대한 설명을 듣고 난 후 흥미가 생겨서 읽어보기 시작했습니다. 책의 두께에 먼저 압도되었기도 하고, 집중력이 최대로 올라오지 않는 상태에서 읽다 보니 수월하게 읽히지는 않았습니다. 그래도 생물학 계에서 인정받는 책인 만큼 기대가 되었습니다. 기독교가 지배하던 시대의 사람들에게 다윈의 진화론은 책을 집필하고 20년 뒤에 발표할 정도로 아주 불경한 것이어서, 다윈이 얼마나 사람들을 설득하기 위해 지금에 와서는 당연한 지식을 친절하게 설명했는지 알 수 있었습니다. 창조론이 정설이던 사회 분위기 속에서 다윈이 어떻게 창조론의 논리를 반박했는지, 그리고 그를 위한 근거를 어떻게 제시했는지 보면서 다윈이 종의 기원을 발표하기 위해 굉장히 많이 노력하고 공들였다는 것을 엿볼 수 있었고, 용기있는 학자라는 생각이 들었습니다.

윤정 :

많은 책을 읽은 건 아니지만, 이런 책들에서는 공통적으로 저자가 자신의 고정관념과 기존에 가지고 있던 상식을 모두 내려놓는 모습이 보입니다. 지금까지 공부하고 습득했던 지식과 그에 따른 자신의 생각을 포기하고 바닥부터 시작해서 하나의 논리를 완성하는 과정이, 그 결과물이 대단하고 동시에 섬세합니다. 그리고 이렇게 사회와 종교에 반하는 주장을 책으로 엮어내기까지 얼마나 많은 재고가 있었을까요. 치열한 고민과 관찰, 연구 끝에 모인 많은 근거들을 바탕으로 진화론이 나올 수 있었다고 생각합니다. 제가 생각한 찰스 다윈의 종의 기원은 '본인이 부지할 수 있다는 가능성을 열어둘 정도의 겸손함 끝에 나온 작품'이라고 할 수 있을 것 같습니다.

명진 :

환경분야 고전 과학서인 '레이첼 칼슨의 침묵의 봄'과 '찰스 다윈의 종의 기원'은 현대과학으로는 어쩌면 당연한 '지식'들이 그 당시에는 당연하지 않았던 '사실'을 발표하면서, 그 시대를 지배하고 있던 종교, 정치, 경제적 기득권에 날카로운 돌을 던져 과학이론을 환기시키며 발전을 도모했다는 점에서 그 결이 같다고 생각합니다. 특히나 당시 기득권 집안의 출신인 찰스 다윈은 '종의 기원'이 세상에 발표된 후에 밀려올 엄청난 파장을 온전히 감당하기 어려웠을 거라 생각하기에, 이 논문을 발표하기 전까지 '주장에 대한 근거'를 철저히 검증하고, 또 현실에서의 '이상'과 '사실' 사이에서 그가 얼마나 고뇌했을지 조금이나마 가늠할 수 있었습니다.

Q. 혹시 종의 기원을 읽기전에 미리 궁금했던 의문점이 있었습니까? 종의 기원의 전반부를 실제로 읽어나가면서 그 의문점을 해소해주는 내용이 있었습니까? 그런 의문점은 어떤 이유에서 기원했나요?

명진 :

현재 대한민국에서 가장 큰 이슈는 OECD 회원국 중 최저 출산율을 기록한 것이 아닌가 싶다. 이런 문제점은 단편적인 문제가 아닌 여러 정책의 결과로 생각하지만, 그 결과의 본질을 '다윈의 종의 기원'에서 찾을 수 있지 않을까 생각했습니다. 인간이라는 종은 다윈이 말한 '유기체 생물' 중 하나인데, 유기체 생물의 생존투쟁의 결과로 경쟁에서 살아남은 유전자만이 전해져 우리가 말하는 'DNA'로 기록되는 것이 아닐까 생각합니다.

윤정 :

이미 진화와 적자생존 등이 익숙해져 있는 사람으로서 책에 의문을 갖기보다는 받아들이고자 하는 마음으로 읽기 시작했습니다. 유일하게 가지고 있던 이 커다란 이야기의 초반부를 어떻게 풀어나가는지에 대한 궁금증은 전반부의 '비둘기 이야기'로 해소되었습니다. 어찌 보면 설득에서 가장 중요하면서 당연할 수도 있는 접근 방식이었습니다.

은수 :

이 책은 최재천 교수의 다음과 같은 말로 시작합니다. '모름지기 다윈을 읽지 않고 생물을 연구한다는 것은 거의 성서이나 코란을 읽지 않고 성직자가 되는 것에 진배없다고 생각합니다. 이제 모두 떳떳하고 당당한 생물학자가 되시기 바랍니다.' 사실 이런 이유로 이 책을 읽었습니다. 생물학이라는 과목 자체가 다윈의 종의 기원을 통해 시작되었으며, 저는 어쨌든 생명과학을 전공했기 때문입니다. 어떻게 보면 저는 다윈을 존경했던 것 같기도 합니다. 생명과학 사상 가장 위대한 순간 두 가지가, 종의 기원의 출간과 DNA 구조 발견, 모두 일어났던 영국에 생명과학 유학을 가기도 했으니 말입니다. 하지만 오히려 그럴수록 더 부끄러움이 커졌습니다. 저는 종의 기원을 읽어보지 않았기 때문입니다.

이 책은 분명 먼 과거의 책이고, 단순히 생물학적 지식을 얻고자 한다면 현대의 다른 책들이 훨씬 도움이 될 것입니다. 하여 저는 어떻게 그 당시의 사람들을 설득시켰는지, 그 당시의 지식과 경험만으로 어떻게 설명했는지에 주안점을 두고 읽었습니다.

옮긴이의 말에 따르면 당시 19세기 빅토리아 시대의 영국 사회에서는 육종을 통해 특이하게 생긴 비둘기나 개를 만들어 내는 일이 그야말로 대유행이었기 때문에, 1장을 비둘기와 개에 관한 이야기로 시작한 다윈의 접근법은 비범한 글쓰기 전략이었다고 합니다. 육종사의 인위 선택 이야기로 시작한 후, 결정적인 순간에 그 육종사를 '자연'으로 대체하는 다윈의 글쓰기 방식을 보며, 역사상 가장 위대한 과학자 (또는 뭐든)가 되기 위해서는 뛰어난 커뮤니케이터이기도 해야 한다는 생각이 듭니다. 좋은 것일 수도 있고 나쁜 것일 수도 있는데, 방송에 나와서 말을 잘하는 과학자가 그저 논문만 잘 쓰는 과학자 보다 일반 대중들에게는 더 실력 있는 과학자로 보일 것입니다.

사실 저는 김상욱 교수가 물리학에서 어떤 업적을 남겼는지는 모르겠지만 그의 싸인을 받았고, 책을 샀습니다. 그리고 저는 한국에서 가장 실력 있는 물리학자가 누구인지 모름니다. 꼭 단순히 명예를 좇기 위해 뛰어난 커뮤니케이터가 되라는 말은 아닙니다. (물론 저는 명예를 좇는 것도 긍정합니다), 사람들이 원하는 것을 알고 그것을 알맞게 전달하는 능력은 인문학을 비롯한 다양한 전공 외의 능력을 요하며, 그 능력들의 통섭을 통해서만 기존 학문의 틀 내에서는 발견할 수 없었던 새로운 패러다임을 개척할 수 있기 때문이라 믿기 때문입니다.

다윈의 박물학 이외의 다양한 관심이 그가 위대한 발견을 할 수 있도록 했고, 그 능력이 또 다윈을 더 위대한 사람의 영역으로 끌어올렸다는 점을 볼 수 있는 대목이었습니다.

뎁씨의 질문들

Q. 최근 나에게 가장 강한 충격(Strike)를 준 과학, 철학, 종교, 문화(기타 등등) 적인 발견이나 현상, 발표가 있었습니까? 그 사실은 나의 어떠한 가치를 자극했습니까?

뎁씨 :

저는 프로그램을 개발하는 사람으로서 AI가 인간을 정복하는 시대가 올 것이다!라는 생각은 말도 안 된다고 생각했습니다. 물론 범지구적으로 그 물리적인 방법이 가능하지 않을 거라고 생각합니다. 하지만 먼 미래에 AI의 발전이 아닌 인류구조의 변화에 대해서 생각을 해보자면 0%이라고 단정 할 수는 없다고 생각합니다.

가령 그러한 예시가 있습니다. 최근 주민등록증에 AI가 생성한 프로필 사진을 등록한다거나, AI가 생성한 만화 캐릭터들에 대해서 일종의 팬덤이 생기거나 하는 현상들을 보며, 현상의 결과물이 반드시 인간이어야 하는가? 혹은 인간의 오리지널리티가 결여된 AI에 의한 2차, 3차 가공물이 하나의 가치로 인정을 받는다면 (결국 인간이 인정하는 거지만) 그런 집단이 그것을 하나의 가치로 인정하고 가치를 부여한다면, 일종의 비트코인처럼- 일종의 게임 머니처럼, 재화라는 것이 1차원 적인 국가와 국가 간의 개념이 아닌 더 독립적인 단체 내에서 현실적으로 적용가능 한 현상이 보편화된다면, 인간이 굳이 사고하지 않고 소비를 전담하는 시대가 특정한 집단에 찾아온다면, 그렇다면 AI가 인간을 통제할 수 있다는 가능성이 0에서 1% 그 이상으로 늘어날 수도 있겠다는 생각을 합니다.

은수 :

영국 의약품규제청이 세계 최초로 카스게비라는 CRISPR/Cas9 유전자 편집 기술을 활용한 치료제를 조건부로 허가했습니다. 이는 역사적인 순간으로 평가되며, 해당 치료제는 낫형세포병과 베타 지중해성 빈혈을 치료하는 데 사용됩니다. 이 유전자 편집 기술은 만들어진 지 10년, 노벨상을 받은 지 5년 정도밖에 되지 않았는데, 벌써 이 기술을 이용한 유전자 치료제가 나오고 그것이 규제기관의 승인을 받았다는 이 뉴스가 최근에 들은 과학 기술 관련 뉴스 중 가장 흥미로웠습니다.

람 :

저는 천문학을 좋아합니다. 작년에 천문학계의 가장 큰 이슈는 제임스웹 우주망원경이었습니다. 제임스웹 이전 약 20년 넘게 우리가 접하는 우주와 관련된 사진들은 대부분 허블 우주망원경이 찍은 사진들입니다. 허블 망원경이 찍은 사진들 속에서도 우주의 경이함을 느꼈는데 제임스웹의 출현으로 우주의 생생한 모습을 보게 되었습니다. 그 성능이 어느 정도냐면, 서울 신라 호텔에서 제주도 해비치 호텔을 관측하면 어떤 사람이 들고 있는 컵까지 인식할 수 있을 정도로 정교합니다.

이러한 정교한 성능을 바탕으로 제임스웹 망원경은 우주 속에서 지구와 같은 환경을 가진 행성과 생명체를 찾고 있습니다. 조만간 외계인을 찾을 수 있지 않을까 생각해 봅니다. 제2의 지구를 찾는 방법은 항성의 밝기 변화를 이용해서 찾는데, 공전하는 행성이 항성을 가리게 될 때 밝기 변화가 감소하게 되고 이를 통해 행성의 존재를 파악합니다. 그리고 항성계에 대한 관측을 통해 행성들의 구성 성분과 항성과의 거리를 분석하며 생명체가 존재할 수 있는 환경인지 파악합니다. (골디락스 존)

천문학이 그동안 이룬 업적과 새로운 발견을 보면 볼수록 겸손하게 됩니다. 지금 내가 고민하는 것들이 크다고 생각하는데 우주의 눈으로 보면 하찮은 것들이며 우주의 시간으로 보면 나는 찰나를 살아가는 존재로서 내가 지금 고민하고 있는 것들이 아무것도 아닌 것처럼 느껴집니다.

추가로 보이저 2호를 발사한 지 40년이 넘었습니다.(1977-08-20 발사) 현재 태양계를 벗어나 이제 서야 성간 공간에 진입한 상태입니다. 제가 죽기 전에 보이저호가 어디까지 갈지 기대가 됩니다.

연경 :

　중문학을 전공하고 교직이수를 하면서 임용고시를 준비했었기 때문에 교육 이슈에 대해 많은 관심을 가지고 있습니다. 최근에 의대 집중현상과 관련하여, 어떤 학원강사가 유치원을 다니는 아이들에게까지 의대 과정을 밟게 하는 것은 아동학대인 것 같다, 상대적으로 시간이 충분한 초등 저학년 때부터 시작해도 늦지 않다는 식으로 인터뷰를 한 것을 보았습니다. 그 기사를 보며 초등학생에게 기계적으로 고등학생 수준의 문제를 풀게 하는 것은 학대가 아니라면 무엇인가 라는 생각이 들었습니다.

　교육에 몸담고 싶어 하는 사람으로서 이러한 세태는 사람이 아니라 문제풀이 기계를 만드는 것이며 나아가 로봇 같은 의사를 양성하는 것 같아서 과연 교육이란 무엇인가, 어떠한 방향으로 나아가야 하나 의문이 들기도 했습니다. 이 기사를 통해 학교에서는 학업을 비롯한 다양한 삶에 필요한 기술을 배우는 곳인데 학력을 얻기 위한 수단으로 전락해 버린 공간에서 어떻게 아이들을 '지도'할 수 있을지 고민해 보는 계기가 되었습니다.

마저 나누지 못했던 생각들

"애조가의 눈을 사로잡기 위해서 반드시 어떤 큰 구조상의 변화가 필요한 것은 아니다. 애조가는 극히 작은 차이도 인지한다. p86"

우리 인간은 사회를 살아가면서 똑같은 사람은 없다고 인지하고 삽니다. 하지만 조금만 멀리떨어진 서양권 사람들이나 아프리카계 사람들은 아시아사람들은 다 똑같이 생겼다고 하고, 우리도 서양인들이 배우나 유명인이 아닌 이상 그 차이를 쉽게 인지하지 못합니다. 같은 한국사람들 끼리도 당연히 외모는 다른 것 알지만 사회적인 통념으로 대충 특정한 그룹으로 성향을 묶어두고 편안하게 결정내리고 사고합니다. 요즘 젊은 세대에서는 MBTI가 그런 역할을 하는데요, MBTI가 아니더라도(그걸 모르더라도)

내가 남들보다 예민하게 인간의 사소한 차이점을 알아내고 추정하거나 편견을 가지고 있는 부분이 있나요? 예를 들어 숟가락을 집는 손의 모양이라거나, 물을 마시는 자세나, 특정한 목소리의 톤이나 템포 등으로 저 사람은 이런 사람일 거야.. 하는 등의.

"유리한 형태가 선택되어 그 수가 증가하면 덜 유리한 형태는 수가 감소해서 희귀해진다. 지질학이 우리에게 말해 주듯이 희귀성은 멸절로 나아가는 전조다. p176"

아주 예전에 Idiocracy(이디오크러시)라는 영화를 본 적 있다. 고학력, 고위직의 사람들은 결혼을 해도 확실한 환경이나 조건이 되기 전까지 아이를 낳지 않고, 낳더라도 적게 낳고- 아무 생각 없이 사는 소위 막장인생들은 엄청나게 번식하여 수천 년 뒤 인구의 평균 지능이 말도 안 되게 퇴화한 미래를 그린 영화이다.

우리는 잘나서 '희귀해' 지려고 한다. 그것이 사실 특정 부국들 기준으로(한국도 포함) 현재 꽤나 동의받는 인생 모델이지만 선진국일수록 인구는 줄고 있고 특히 대한민국은 진짜 진짜 망했다. 물론 본인은 해외로 잘 달아나서 국민연금 사회부양 어쩌고 아몰라하고 살 수 있도록 대비해 두었지만, 이것은 한국만의 문제가 아니라 대다수 부국들의 현실이다.

사실 자연선택에서 더 이상 부국의 인간에게 '자연환경에 의한 자연선택'이라는 말은 어울리지 않는다. 인간은 천재지변이 아닌 이상 생존에 대해 온도나 먹이의 이슈는 성립하지 않는다. 지금 현 '세대'에서 '희귀함(그렇다고 경제적인 요소를 배제한 희귀함은 아님, 이건 모임에서 또 재밌게 논의)'은 절대적으로 우성적인 가치로 평가받고 있지만 이것은 다음 세대로 계승하기에 가장 최악의 요소이기도 하다.

Q. 그렇다면 내가 다음 세대에 꼭 계승하고자 하는 나의 특성, '희귀함'이 있다면 어떤 것이 있을까?

그것이 다음 세대에서는 어떠한 방식으로 '우성'적 요소가 될 수 있을까. 그러하려면 어떠한 사회적인 요소가 필요할까. 내가 희망하는 다음세대는 어떠한 모습인가.

연경의 질문들

첫 독서모임 참여를 종의 기원으로 하게 되어서 책을 읽으면서 약간의 후회가 들 때도 있었지만 그래도 한 번쯤 읽어보고 싶었던 책인지라 참고 읽어보았습니다. 중간에 모임장님의 말씀에도 힘을 얻어 같은 부분을 읽고 또 읽어도 진도를 나갈 수 있었던 것 같습니다.

대학 때 교양수업으로 독서모임 형식으로 진행되는 수업을 수강한 적이 있는데 당시에는 교수님께서 생각해 볼 만한 질문들을 제시해 주시고 그것에 대한 내용을 독서를 하면서 스스로의 생각을 정리하고 다른 사람들과 나누는 형식이었습니다. 반대로 이번에는 먼저 생각해 보고 질문거리들을 던지는 것을 스스로 해야 해서 익숙치 않기도 하고 어려운 것 같기도 했지만 잘해야 한다는 마음을 최대한 줄이고 할 수 있는 만큼을 다 해보자는 생각을 했습니다. 책을 읽으면서는 예시가 비둘기나 식물 등에 대한 이야기가 주여서 조금 흥미가 없어지는 찰나 요즘 좋아하는 판다와 연결해 보니 또 다른 생각을 해볼 수 있었습니다.

Q. 판다는 자연적으로 가임기가 짧고 번식 자체에 대한 욕구도 크지 않아서 번식이 어려운 동물로 알려져 있습니다. 또한 딱히 천적으로 삼을 만한 동물도 없다고 합니다. 판다를 동물원에서 사육하지 않았다면 자연스럽게 멸종되었을 것 같은데 판다의 자연적인 본능 및 특성을 거스르면서 인위적으로 번식을 시키는 이유는 무엇일까요? 자연에서 우위를 점하고자 힘센 수컷에게 많은 암컷이 끌리는 동물들의 본능에 반하는 판다의 특성은 어떻게 판다를 자연에서 살아남을 수 있게 했을까요?

딥씨:

판다는 지금은 동물원의 관광요소로 자리 잡은 동물이지만, 결국 그것도 수억 년을 야생에서 존속해 온 하나의 성공한 종입니다. 인간이 판다를 동물원(Managerie)의 요소로 이용하기 시작한 것은 그리 오래된 역사는 아닙니다. 즉 인간의 개입 없이도 이미 멸종하지 않고 살아왔던 동물입니다. 번식이 어렵다는 것은 인간의 입장에서 어려운 것이지 원래의 환경에서는 충분한 밀도의 환경에서 잘 번성해서 유지하던 동물이라고 생각합니다. 호랑이도 그와 비슷한 번식률?을 자랑하지 않을까요? 판다는 코알라와 같이 먹는 것이 규칙적이고 제한적인 동물이기 때문에 그 환경을 인위적으로 조성하기 어려운 것뿐. 특히 '힘센 수컷'이라는 정의는 각자에게 다르게 받아들여집니다. 공작새 수컷이 화려한 몸짓과 털색도 힘과는 관련이 없는 것처럼 말입니다.

명진 :

판다는 종족보존의 욕구가 낮은 편이지만 먹이에 대한 욕구가 높아 산업화가 진행된 현대사회에서도 살아남았던 것은 아닐까 생각합니다. 그리고 판다의 자연적 임신이 어려워 종족 보존을 위해 본국(중국)으로 돌아가도록 한 것은 현재 중국의 외교 정책 중 하나가 아닐까 생각합니다.

은수 :

판다는 기본적으로 곰이기 때문에 가만히 있으면 아무도 건들지 못하는 최상위 포식자입니다. 임신했을 때가 어쩌면 이 짐승?동물에게 가장 약한 순간이므로, 그 횟수를 줄이는 방식으로 진화하지 않았을까라는 생각도 듭니다.

연경의 질문들 (계속)

Q. 동식물 뿐만 아니라 사람들도 진화를 하고 있다고 하는데 인생 중에 그것을 경험해볼 수가 없어 인간 또한 진화를 하고 있다는 사실을 망각하게 되는 것 같습니다. 아기들의 속눈썹이 공해로 인해 예전 사람보다 길어졌다거나 하는 등의 이야기와 같이 현재에도 관찰할 수 있는 인간의 변화가 있을까요? 공기 뿐만이 아닌 여러 인간에 해가 되는 것들이 많은데 먼 미래의 어떤 세대는 질병이나 바이러스 등에 현대 사람들보다 강한 면역력을 가지고 태어날 수 있을까요? 개인적으로 인간이 변화하는 지구에서 살아가기 위해 어떻게 진화하면 좋을까요?

　최근 사회적인 문제중 저출산이 있습니다. 출산 및 육아를 하기 어려운 사회제도와 분위기 탓도 있지만, 나의 자녀에게 좋은 것만 물려주고픈 마음 또한 영향이 있을 것이라는 생각이 듭니다. 터무니 없다는 생각일 수 있지만, 과거부터 지금까지 기술이 발달하고 인간이 할 수 있는 것이 많아지게 된 이유가 인류 또한 좋은 유전자를 남기고자 하는 본능이 있었기 때문이 아닐까 하는 생각이 들었습니다.

　람 :

AI가 인간 진화를 그린 작품입니다. 이 영상을 보며 든 생각은 더 이상 유기체로의 진화는 없을 것 같습니다. 일론 머스크의 뉴럴링크 라는 회사에서는 뇌와 컴퓨터를 연결하는 기술을 개발하고 있습니다. 최근 돼지의 뇌에 칩을 심어 뇌파 데이터를 수집하는 테스트를 했습니다. 최근에는 사비마비 환자의 뇌에 칩을 심어 생각 만으로 컴퓨터나 휴대전화를 제어하고 임상실험을 하고 있습니다. 기술이 더 발전하면 영상에서 처럼 인공 장기로 대체되며 무기체로 진화할 것 같습니다. 마치 은하철도 999 처럼 말이죠. 만화 총몽의 아니면 알리타 처럼 기계 몸이 되지 않을까요?

은수 :

생식능력이 없어질 수도 있을 것 같습니다. 닭이 먼저냐, 달걀이 먼저냐 수준의 논쟁인데, 과연 죽음의 발명이 먼저였을까요? 생식의 발명이 먼저였을까요? 이분법을 하는 단세포 생물은 죽지 않습니다. 하지만 오히려 생식을 하는 우리 같은 고등 생물들은 죽습니다. 우리는 생식을 하기 위해 죽는 것일까요? 생식을 하기 때문에 편히? 죽을 수 있는 것일까요? 아니면 죽기 때문에 생식을 하는 것일까요? 어찌 됐든, 죽음에 대한 두려움이 사라질지도 모르는 의학기술이 매우 발달한 미래에는 생식능력이 가장 먼저 사라질지도 모르겠습니다. 어쩌면. 사실 지금도 기아상태에 놓이면 가장 빨리 내쳐지는 기능이 생식능력이기도 하고요.

명진 :

몇 해전 전 세계적으로 코로나(COVID-19)가 유행하여 많은 사람들이 이를 견디지 못하여 죽음을 맞이하거나, 견뎌냈다 해도 그로 인한 후유증 혹은 생채기를 겪고 있는 사람들이 있다는 뉴스를 접한 적이 있습니다. 이렇게 거대한 바이러스를 직접 겪은 사람들은 그 바이러스를 몸에서 감당하기 어려워 오히려 그 기능이 퇴화할 것 같고, 그에 반해 태어나기 전에 겪었던 태아들은 생존본능을 위해 특정 바이러스에 대한 면역력을 갖춘 상태에서 태어날 것 같습니다.

뜬금포 질문! 말이 40km를 못 가는가?

이 질문에 대해 답을 찾다가 '한참'이라는 단어의 어원을 찾아냈습니다. 역참, 즉 관리들이 이동할 때 갈아타거나 쉴 수 있도록 말을 보관하는 국가의 마구간인데, 약 25km 정도의 거리입니다. 여기서 어디를 가려면 얼마 정도 가야 합니까? 라고 하면 '한(1) 참' 가야 합니다가 '꽤 먼 시간, 하루종일' 가야 합니다의 어원이 되었다는 설. 다만 실제로 말이 이동가능한 거리는 100km 이상도 가능하지만, 일반인들이 '승마'를 하고 이동하기 때문에 인간의 피로도의 한계로 40km를 이동하지 못하는 것으로 나타납니다. (마차와는 다름). 그래서 역참도 25km 정도의 거리마다 배치가 되었던 것으로 추정됩니다.

명진의 질문들

이 책을 처음 손에 잡은 것은 올해 봄이었습니다. 교수님의 추천으로 '레이첼 칼슨의 침묵의 봄'이라는 책을 읽으며 과거 현대사회의 환경문제는 인간의 이익 추구적인 집단적 이기심과 과학을 대하는 겸손하지 못하는 태도에서 시작됐다고 생각했습니다. 과거와 현대의 과학을 받아들이는 시대의 태도를 읽고 싶었던 찰나에, '창조론'과 '진화론'을 마주해야 했던 시대가 생각이 났고, 그 중심에 있던 '찰스 다윈의 종의 기원'을 선택하였습니다.

'종의 기원'은 처음부터 쉽지 않았습니다. 먼저 생물분류체계 개념(과, 목, 속 등)이 너무나도 생경했고, 계속적으로 반복되는 근거들과 다윈이 관찰한 각각의 사례들(비둘기과, 따개비 등)을 일반적이고 보편적인 명제를 이끌어내는 귀납적 사고로 나열된 방식이 나에게는 몹시 낯설어 가독하는데 쉽지 않았습니다. 그러나 이미 한 번의 실패가 있었던 책이었기 때문에 어려웠더라도 집단지성의 울타리 안에서는 가능할 것이라 믿기에 재도전하게 되었습니다.

사육 품종들은 여러 가지 외부적인 생활환경의 직접적인 작용과, 습성의 영향으로 선택에 따라 필요 기관이 발달 및 퇴화한다.. : 사용의 효과(p.52, 이때의 필요기관이란 사실상 인간의 욕망이나 편의에 맞게 적응해 온 증거라 볼 수 있을 것이다.)

Q. 현대 사회에서는 다양한 외부적인 자극이 존재하고 누군가에게는 극심한 스트레스로 작용되고는 하는데요, 당신이 평생 단 하나의 기관을 발달 혹은 퇴화시킬 수 있다면, 어떤 것을 선택하고 싶나요? 그 이유는 무엇인가요?

명진 :

스트레스를 많이 받으면 수면유도되는 시간이 길어지는 등 외부 자극에 대해 몸이 예민하게 반응하는 편입니다. 만약 신체 기관을 선택하여 발달 혹은 퇴화시킬 수 있다면, 수면과 관련된 신경(뇌 포함)을 조절하는 스위치를 설치해서 외부의 자극 혹은 그날의 스트레스 증감에 상관없이 수면상태에 돌입하는 기능이 있었으면 좋을 것 같아요.

뎁씨 :

개인적으로 홍차와 술, 향신료들을 굉장히 좋아합니다. 신체 감각들을 좀 예민하게 타고났는지 맛을 느끼는데에는 유리하지만 그 외 자극에도 예민합니다. 그래서 노이즈 캔슬링 이어폰도 못쓰고, 블루투스나 와이파이 기계가 가까이 있으면 피로감을 느낍니다. 주변의 여러 자극을 100%에 가깝게 늘 느끼고 살아서 덜 예민한 몸이 됐으면 좋겠다는 생각이 있습니다. 으레 병원에서는 스트레스로 치부하여 치료도 딱히 받지 않는 몸이라 때로 너무 많은 자극이 느껴지면 보편적으로 무디고 그랬으면 좋겠다. 하지만 한편으로 감기 같은 거에 걸려 몸이 둔감해질 때가 있는데, 그때는 나의 오리지널을 잃어버린 거 같아서 나는 이제 죽은 거 아닐까? 하는 생각이 들기도 했었다.

연경 :

약에 대해 반응 효과가 빨리 잘 나타나고 과하게 나타날 때도 많아서 약 효과를 적당히 볼 수 있도록 바뀌면 좋겠습니다. 피부과 약 같은 경우에는 졸려서 일상생활이 불가능할 정도가 되기도 해서 약물, 카페인 등의 물질에 조금 둔감한 뇌를 가지고 싶습니다.

람 : 저는 때때로 식사하는 시간이 아깝다는 생각을 합니다. 그래서 영양소를 최대한 흡수하는 능력이 있으면 좋습니다. 간편식으로도 최대한 흡수하여 먹고 치우는 시간을 아끼고 싶습니다. 나아가 이 틀에 한 끼 먹어도 되는 그런 몸이 되고 싶습니다. 왜냐하면 효율적인 인생을 추구하기 때문이죠.

윤정 :

공부하는 뇌를 더 발달시키고 싶습니다. 특히 언어적인 부분이 약하다고 생각하는데 모든 걸 영어로 해야만 하다 보니 쉽지 않은 것 같습니다. 물론 이론적인 내용도 더 잘 받아들일 수 있었으면 좋겠습니다. 코딩도 더 잘했으면 좋겠고, 실험하는 데에 센스도 더 있었으면 좋겠고.. 더 똑똑해지고 싶어요..!

명진의 질문들 (계속)

"(알퐁스 드 캉돌) 매우 넓은 분포 영역을 갖는 식물에는 대체로 변종들이 존재하며, 다양한 물리적 환경에 노출되고, 다른 유기체 집단과 서로 경쟁하게 되기 때문에 당연히 기대되는 현상이다.(p.106)"

Q. 알퐁스 드 캉돌은 유기체들 간의 경쟁을 통해 우세종이 변화된다고 했습니다. 지금까지 사회생활을 하면서 "내"가 가장 많이 성장했다고 느꼈을 만한 경험이 있었나요?

자연선택 : 유리한 변이의 보존과 유해한 변이의 배제. 유용하지 않고 유해하지 않은 변이들은 자연 선택의 영향을 받지 않을 것이고, 다형적이라 일컬어지는 종에서 볼 수 있듯이 상황에 따라 변화할 수 있는 요소로 남겨질 것이다.-. 인간은 자기 자신의 이득만을 위해 선택하지만 자연은 자신이 돌보는 존재의 이득을 위해서만 선택한다. 선택된 모든 형질은 자연에 의해 완전히 단련되며 그 유기체는 적절한 생활 환경 조건 아래 놓인다.

Q. 찰스다윈은 "자연선택에 유리한 환경과 불리한 환경이라는 매우 복잡한 주제에 대해 가능한 한 잘 요약해보자 (p.173)"고 하며, 광활한 대륙지역은 자연선택에 대한 유리한 환경이라고 답하였다. 당신이 생명을 관장하는 신이라면, 유기체의 생존을 위해 어떠한 환경을 꾸리고 싶은지 자유롭게 이야기 해보자.(반드시 현실적이지 않아도, 허무맹랑한 것이어도 좋다. 생각나는 대로 이야기 해보자.)

명진:

영화 '신과 함께'를 보신 적이 있으신가요? 제가 생명을 관장하는 신이라면, 이 영화와 비슷하게 생존을 위한 환경을 구역(section)으로 나눠 자연적으로 생존 혹은 도태될 수 있도록 할 것 같아요. 예를 들어, 살인과 성범죄를 저지른 자에 대해서는 생명체가 살 수 없는 구역으로 옮겨 살아남지 못하게 하거나, 특정 기관을 퇴화시키거나 그에 준하는 벌을 내려 스스로 참회하여 과오를 누우칠 수 있도록 유도하는 것이죠. 반면, 타인을 많이 도와주거나 배려가 몸에 밴 사람, 구업(口業)을 짓지 않은 사람 등 선한 사람들은 그들이 상상하는 '유토피아' 같은 환경에서 살도록 하고 싶습니다.

우람 :

너네하고 싶은 거 알아서 다 해봐 하고 풀어두고 싶습니다. 대신 조건이 있습니다. 인간이 신에 의해 창조되었음을 기억해야죠. '너희는 내가 만들었고 내 자식이니깐 나를 잊지 마' 이런 거죠.. 환경은 지구와 동일한 환경이었으면 좋겠습니다. 저 역시 지구에 살고 있어 다른 조건의 환경은 상상할 수가 없네요.

뎁씨 :

내가 신이라면(물론 미래를 완벽히 예측하는 정도의 전지전능하지는 않은 정도의 세계 창조자 정도의 신이라면) 내가 최초에 만들었던 생명체들이 어떻게 랜덤 하게 진화를 해나가는지 지켜보고 싶다. 다만, 기후와 환경, 대륙 이동을 온난화 이런 거 영향 안 받는 이상적인 상태로 두고 말 그대로 경쟁으로만 생명이 어떻게 진화하는지 그것을 지켜보고 싶다.

윤정 : 최근의 기후 위기와 여러 전쟁, 해결되지 않는 전 지구적인 문제들을 보면 어떠한 혁명, 특히 에너지 혁명이 있지 않는 한 인간이 곧 멸종할 것만 같은 느낌이 듭니다. 신이 된다면 인간의 멸종과 그 이후를 보고 싶습니다. 모든 범 지구적 문제는 인간에 의해 야기되었다 생각하기 때문에 자연이 어떻게 회복되어 가는지, 지구의 사이클이 어떻게 돌아가는지 보고 싶습니다.

**희망하시는 방식이 있나요?

후회하면서 말라죽었으면 좋겠습니다. 다른 생명들에게뿐만 아니라 인간들 서로에게도 많은 잘못을 저질렀다고 생각합니다. 철저하게 후회하고 잘못을 복기해야 그다음이 있다고 생각합니다. 혹시나 모를 혁명 후에 인간이 살아남아 다른 유토피아를 꿈꿀 시간이 주어진다면, 그곳에는 이기적인 마음이 조금이라도 줄어있길 바랍니다.

명진 :

윤정 님 말에 동의합니다. 지구의 평균온도는 산업화가 진행된 이후 평균 1.5도가 올랐고, 기상학자들은 3도가 오르면 다양한 기상이변과 산호초의 멸종이 시작되고 평균 6도가 상승되면 지구에는 더 이상의 생명체는 남아있지 않을 거라 경고했습니다. 인간들의 이기심으로 인해 인간 외의 생명체의 생존에는 관심을 두지 않은 재 시나친 발달의 쾌락을 꿈꾼 것은 아닌지 전 세계가 같이 반성하고 공존할 수 있는 강력한 방안을 마련해야 하는 때라고 생각합니다.(유엔기후협의를 통해 대책을 마련하고 실행하고 있으나 각국의 이익과 입장차로 완전한 실행까지는 어려워 안타깝습니다.)

연경 :

해발 450m 에서 지구 온난화의 심각성을 느꼈습니다. 산속의 높은 곳인데도 불구하고 새벽에도 너무 더워서 에어컨이 필요할 정도였습니다. 이러한 경험을 해보니 나무로 우거져서 그늘이 진 정글도 온난화가 더 심해진다면 더워질 수 있지 않을까 생각이 듭니다.

명진 :

이제 우리나라의 평균온도가 많이 올라 식생분포가 많이 변화된 것으로 알고 있습니다. 강원도에서 바나나가 생산가능해지면서, 제주도를 포함한 우리나라 전역에서 이제 바나나를 생산할 수 있게 되었다는 기사를 접한 적이 있습니다. 기후변화가 실생활 깊이 들어왔다는 생각이 들었습니다.

뜬금없는 질문들과 생각들

** 물 부족으로 결국 인간은 말라죽을 것이다. 점점 물 적게 먹는 사람들이 자연선택으로 더 가능성 있게 살아남고, 나중엔 물 안 먹는 인간이 생겨나고 또 살아남지 않을까?

윤정의 질문들

서문에 적힌 어떤 역사가의 말 "지성계의 거두 다윈, 마르크스, 프로이트 중에서 유일하게 다윈만이 오늘까지 건재하다"라는 문장이 선명하게 남았다. 그는 다윈 혁명이라 불리는 그의 이론을 통해 인류의 오만함에 도발을 끼얹었다. 패러다임을 통째로 바꿔버릴 정도의 겸손함이 그를 위대하게 만든 것일까.

새로운 시각을 던지는 책을 읽을 때마다 주제에 대한 저자의 겸손과 더불어 엄청난 양의 근거들에 숨을 쉴 수 없을 것 같을 때쯤 끝이 보이는 순간을 경험한다. '총 균 쇠', '공정하다는 착각', '팩트풀니스' 등 세상에 한 권의 도끼를 내놓기 위해서는 이 정도 규모의 글자가 필요한가 보다.

이 책을 읽으면서 앞서 언급한 세 권의 책들과 함께 '물고기는 존재하지 않는다'라는 책이 자주 떠올랐다. 이전에 접한 생명과 종, 그리고 인간에 대해 다룬 이야기 중 가장 인상 깊었기 때문이다. 이렇게 새로운 시선을 제시하는 네 권의 책 모두 저자가 잘 살아계신다는 것을 생각하면 160년 전에 쓰인 이 책이 사회적으로 일으켰을 반향이 어느 정도일지 상상이 되는 것 같다.

읽으면서 가장 큰 걸림돌은 문체였던 것 같다. 특유의 장황하면서 명백하지 않은 문장이 읽기 힘들었다. 엄청난 분량의 귀납적 추론 논문을 읽는 기분. 번역이 얼마나 힘들었을지 가늠이 되지 않는다. 그리고 또 하나의 걸림돌은 내가 이미 알고 있는 과학적 사실들이었다. 현재는 유전의 과정과 변이가 일어나는 과정, 성별에 따른 유전, 유전적 형질 간의 연관성 등 많은 부분이 밝혀져 있고 교육과정에서 다뤄진다. 그래서 이때 오로지 관찰된 사실만으로 귀납적으로 추론하여 작성된 글은 내게 모호하게 다가왔던 것 같다. 중간중간 내려진 연구의 결과와 내가 어설프게 알고 있는 지식을 연결하는 과정이 필요했다. 그러면서 저자가 귀납적 추론만으로 얼마나 정확한 결론을 내렸는지 알 수 있었다. 이 당시에는 분명 유전체, DNA, 성 염색체 등에 대한 정보가 전혀 없었음에도 올바른 방향으로 연구가 진행되었다.

그에게는 겸손함뿐만 아니라 엄청난 집요함이 있었던 것 같다. 글이 진행되는 내내 필수적인 근거들 외에는 대부분 생략했음에도 불구하고 이 정도 분량이라는 것이 놀라웠다. 당시 기독교의 창조설을 정면으로 반박해야 했기 때문이기에 필수적이지 않았을까. 꽤 자주 나오는 '창조로는 설명할 수 없다'는 말이 현재의 지식으로 무난하게 읽고 있던 나를 환기시켰다. 용기도, 자신에 대한 확신도 대단한 사람이었다.

책의 후반부를 마저 읽고 나면 떠올랐던 책들과 함께 오랜만에 독후감을 남겨야겠다는 생각이 든다. 읽는 중에 후회를 안 했다면 거짓말이지만 완독 후에는 뿌듯할 것이 분명하다:)

"여기서 내가 생존 투쟁이라는 용어를 넓은 의미로 그리고 비유적 의미로 사용하고 있음을 전제할 필요가 있겠다. 즉 이 용어에는 한 존재가 다른 존재에 의존한다는 뜻도 포함되며, (이것이 더 중요한 사실인데) 개체의 생존뿐만 아니라 자손을 남기는 성공 또한 포함된다. p.120"

Q. 이 책을 읽으면서 지속적으로 우리나라의 인구에 대한 미래가 떠올랐습니다. 물론 전 세계적으로도 인구 수는 어느 정도 증가하다가 감소할 예정이라고 합니다. 자손을 남기는 것까지 생존 투쟁이라면 우리 인간은 생존 투쟁에 실패한 것일까요? 그저 하나의 종으로서 증가하다가 쇠퇴하는 자연스러운 과정을 겪는 중일까요?

"습성은 그에 상응하는 구조의 변화를 수반하지 않고도 변화한다. ... 생존 투쟁과 자연 선택의 원리를 믿는 사람은 모든 개체가 끊임없이 그 개체수를 늘리기 위해 고군분투하고 있다는 사실을 인정한다. p. 272"

Q. 이 부분을 읽으면서 약간은 버겁게 느껴지기도 한 것 같습니다. 현재 우리의 생존 투쟁은 어떤 방향으로 가야 하는 걸까요? 개인적으로 생각하는 이상적인 방향이 있나요?

"우리는 어떤 종류의 전이도 불가능하다고 논증하기에는 우리가 너무나도 무지하다는 점을 인정해야 한다. p. 281"

Q. 패러다임을 바꾼 책들에서는 공통적으로 저자의 겸손함이 밑바탕에 깔려있는 것 같습니다. 우리는 현재 무엇에 겸손해야 할까요? 사회적 양극화? 기술(AI 등)의 기하급수적인 발전?

"신체적인 구조에서 어떤 변화가 일어나고, 그것이 사용이나 습성을 통해 확대되고, 쓰지 않으면 줄어들거나 사라지듯이, 본능 또한 마찬가지의 변화를 겪을 것이라는 사실을 나는 의심하지 않는다. p. 304"

Q. 인류에게 위 문장을 대입하면 '문화'의 변화를 얘기할 수 있을 것 같습니다. 출처가 분명하지는 않지만 문화는 너무나도 느린 '진화'로 얻을 수 없는 변화를 얻기 위한 하나의 수단이라는 말을 들은 것 같은데, 현재 본인이 느끼는 가장 큰 문화(본능)적 변화는 무엇인가요?

OECD 기준으로 봤을 때 출산율이 낮아지고 있는 게 사실인데, 속 단위의 max를 찍고, 자연스럽게 빠지는 건가, 특정한 생존투쟁의 실패인가, 어느 정도의 자연스러운 건가? 모든 생물 개체는 DNA 운반체일 뿐이라면, 번식하고자 하는 욕구를 거스르는 것처럼 보이는 이 현상이 가능한 것인가? 어떤 단위에서 보면 좋을까?

이 문제를 단순하고 쉽게 원인을 찾고자 하면 서로를 탓하는 방향으로 가는 경우가 많아 답이 없는 문제가 됨과 동시에 더 큰 문제를 일으키는 것 같다. 또 사회적으로 분석하려고 하는 것도 많은 것 같은데 다른 분들의 생각을 들어보고 싶다.

종의 기원을 읽고 배운 건 자연선택이었습니다. 특정 환경에서 생존에 적합한 형질을 가진 개체가 살아남고, 아니라면 도태된다는 이론이었고 이를 이 문제에 적용해 보았습니다. 하지만 모두가 알고 있듯이 특히 한국의 경우 점점 인간이 살기 좋아지는 환경이 되어가고 있습니다. 이것이 과연 생물학적인 '먹이' 부족의 문제일까요?

제가 생각하기에 인간에게 먹이란 말 그대로의 '식품'도 있지만 본인이 추구하고자 하는 길로 나아가기 위한 자원, 그에 따른 가치적인 것, 경험적인 것 등이 있다고 생각합니다. 사회가 발전하고 다원화됨에 따라, 그리고 SNS 등의 발달로 다양한 '니즈'가 생기면서 '의, 식, 주'만 갖춰진다고 만족하며 살아갈 수 없어졌습니다. 하지만 그런 방식으로 원하게된 '환경'이 더 소수에게 집중되어 있고, 더 높은 가치를 갖게되면서 다수가 가질 수 없는 환경이 되어버린 것입니다. 단순하게 말하자면, 내가 원하는 먹이가 있는데 이걸 못 먹게 되었습니다.

이렇게 매우 빠른 속도로 사회가 변화하게 된 이유 중 하나로 저는 '문화의 영향력의 확대'에 대해 생각해 보았습니다. 먹고사는 것에 집중하던 시대에는 문화를 향유하는 것이 부유층의 전유물이었습니다. 하지만 지금은 음악을 녹음해서 아무 데서나 들을 수 있고, 연극과 뮤지컬 등의 공연이 필름으로 기록되며, 교통의 발달로 외국의 유명한 박물관에 있는 작품을 한국에서 볼 수 있게 되었을 뿐만 아니라 직접 갈 수도 있습니다. 대부분의 분야에서 접근성이 좋아지고 가격이 내려가면서 그만큼 문화가 대중에게 널리 퍼지고 영향력이

상승하여 변화의 속도도 빨라졌습니다. (약 11년 전에 데뷔한 방탄소년단이 동양, 특히 한국에 대한 편견을 뒤집으면서 아이돌 그룹으로서 성공한 속도를 보면 신기할 뿐입니다.) 이 빠르고 효과적인 물결에 탑승하여 사람들이 '욕망하는 것들'이 광고되었고, 아주 소수만 접하고 가질 수 있는 것이 더 많은 사람들에게 닿을 수 있게 된 거죠.

새롭게 만들어진 사회, 대부분의 사람에게 가질 수 없는 것들이 너무 많이 노출되는 이 현실이 우리의 '환경'이 된 것입니다. 내가 어쩌면 먹이가 부족할 수 있다는 것을 알게 되었고, 우리는 이를 알기 전으로 돌아가는 것이 불가능하다는 것도 알고 있습니다. 이 상황에서 우리는 무슨 선택을 할 수 있을까요?

은수 :

인간이 번식에 대한 욕망이 줄어든 상황에 대해 멜서스의 인구론 (인구는 기하급수적으로 증가하지만 식량은 산술증가하므로 인구의 증가 속도는 언젠가 식량 증가 속도에 제약을 받을 것이다)을 적용하기에 현대는 너무 복합적입니다. 저는 이것이 인본주의의 발달에 의한 영향으로도 볼 수 있을 것 같은데, 인간이 끊임없이 자유와 욕망을 추구함에 따라,

오히려 자유와 욕망을 한정당하는 상황이 오지 않았나 싶습니다. 그 직접적인 원인은 타인과의 비교와 그로 인한 상대적 박탈감입니다.

윤정 :

욕망을 추구한다는 것은 이미 인류가 이러한 방식으로 살아왔기 때문에 되돌릴 수 없다고 생각합니다. 어쩌면 욕망이 있었기 때문에 이 정도의 발전이 있지 않았을까요. 잉여 생산물이 생기면 권력이 생기고 그에 따라 분화되어 각자의 욕망을 실현하는 방식으로 발전해 왔던 것 같습니다. 이 방식이 지금까지는 순항했으나 이제는 브레이크를 잡을 수 없는 상황이 된 것입니다.

뎁씨 :

아직까지는 세대가 피임을 통해서 쾌락만 취하고, DNA번식을 속이고 있다는 생각을 합니다. 결국 피임의 행위도 세대가 지속될수록 자손의 결손으로 이어지는 것이고, 결국 번식을 하지 못한다는 하나의 사실(피임)이 인류에게 하나의 불안의 요인으로 자리잡지 않을까?

람:

이 또한 환경에 적응하는 과정이지 않을까요? 인류를 벌의 군체라고 가정할 때, 머릿수가 많은 게 생존에 유리한 상황이 아니다. 적자생존은 자연스러운 것이다.

윤정 :

우람님 말처럼 머릿수가 개체의 생존에 무조건적인 이점으로 작용하지 않는다면, 인류는 생존하기 위해서 스스로 잘 죽이고 있다고 볼 수 있겠습니다.

람 :

관련한 영화가 있습니다. 이온플럭스(2006년 개봉) 치명적인 바이러스로 인류의 99%가 죽어 해독제를 개발하였으나 불임이라는 부작용으로 인류는 자기 복제로 존속하게 됩니다.

연경 :

사람이 임신을 했을 때 가장 신체적으로나 정신적으로나 취약해지고, 육아를 할 때도 마찬가지로 취약한 상태이니 과경쟁 시대에 발맞춰가기 위해서 취약해지지 않으려고 노력한 결과인 것 같습니다. '먹이'가 많아짐에 따라 사람들의 욕망이 더 많아지기도 했고, 하고 싶은 것, 할 수 있는 것이 훨씬 많아지니 개인의 적절한 욕망 이상으로 타인에게 비춰지는 부분을 의식하게 되어 본능을 거스르면서 자신에게 더 집중하는 문화가 형성된 것 아닐까 싶습니다. 또, 사람을 유혹하는 요소들이 많아져 기본적인 본능 이상으로 집중할 수 있는 거리가 많아져 그것들을 더 자유롭게 충분히 즐기고자 재생산의 본능을 뒤로하게 된 것 같습니다.

더구나 요즘 사회에는 자기 스스로를 우선시하는 문화가 형성되어 있기도 하고, 아기가 있을 때의 생활 수준과 없을 때의 생활 수준이 크게 다르다는 것을 금방 비교할 수 있다는 점이 출산율이 낮아지는 데 한몫하지 않았나 싶습니다. 앞서 언급한 자녀 교육의 측면에서도 마찬가지고요.

은수 :

결국 출산율은 다시 회귀할 것이라 생각합니다. 인류는 그 긴 역사와 다양한 지역, 상황 속에서도 1부 1처제라는 결혼 제도를 대부분 가지고 있었습니다. 분명 그 중간중간에 지금처럼 출산율이 급격히 떨어지거나 결혼과 가정의 형태가 달라진 적도 많았겠지요. 하지만 결국 우리가 알고 있는 전통적인 혼인제도로 돌아왔다는 것은 그것이 어쩌면 진화생물학적으로, 또는 우리 유전자를 보존하기에 유리한 방식이기 때문에 아직 남아있는 것이 아닌가 생각도 듭니다.

지금 저출산 시대는 아직 20년이 채 되지 않았습니다. 아직 우리는 미래를 모르고, 40,50,60대의 나를 경험하지 못했기 때문에 우리의 삶이 방식이 현대에 이르러 완전히 변했다고 하기엔 아직 좀 이른 감이 있습니다. 물론 현대 사회는 확실히 이전과 많이 다르긴 합니다. 국제적인 단위의 평화와, 디지털 세계를 통한 인간관계의 변화 등 인류가 처음 겪어 보는 많은 환경의 변화를 경험하고 있기는 합니다.

뎁씨 :

저출산은 일부 선진국(특히 선신국도 아니면서 저출산 1등을 찍은 한국)의 문제이지 인류 전체의 문제가 아니다. 인류는 현재 밀도 최정점을 찍고 있고, 보편적 기술 발전으로 누군가는 극심한 기아를 겪진 하지만, 지구 전체를 보았을 때는 기아나 전염병에 의한 인구감소는 이뤄지지 않고 있다. 나라별로 각자 저출산으로 앓는 소리를 하지만 인류는 어느 때보다 생존에 성공한 종이라고 볼 수 있습니다.

우리는 '호모사피엔스' 한 단어로 모두를 같다고 여기면서 '우리나라' '다른 나라'라는 차별은 결국 존재한다. 결국 현재 지구 내 우세종은 중국과 인도가 아닌가. 한국은 몇 세대만에 멸종하게 되고, 먼 후대의 한국인들의 조상님은 중국인으로부터 진화(?)했다는 사실이 기다리고 있는 것 아니겠습니까.

은수의 질문들

최재천 교수: 모름지기 다윈을 읽지 않고 생물을 연구한다는 것은 거의 성경이나 코란을 읽지 않고 성직자가 되는 것에 진배없다고 생각합니다. 이제 모두 떳떳하고 당당한 생물학자가 되시기 바랍니다.

사실 이런 이유로 이 책을 읽었다. 생물학이라는 과목 자체가 다윈의 종의 기원을 통해 시작되었으며, 나는 어쨌든 생명과학을 전공했기 때문이다. 어떻게 보면 나는 다윈을 존경했던 것 같기도 하다. 생명과학 사상 가장 위대한 순간 두 가지가, 종의 기원의 출간과 DNA 구조 발견, 모두 일어났던 영국에 생명과학 유학을 가기도 했으니 말이다. 하지만 오히려 그럴수록 더 부끄러움이 커졌다. 나는 종의 기원을 읽어보지 않았기 때문이다. 생명에 대한 탐구는 어려운 일인데 진화를 이렇게 쉽게 받아들이는 것은 부끄러운 일이다. 창밖에 밤비가 속살거리는 육첩방에서 드디어 이 책을 폈다.

옮긴이의 말
지구 생명체는 왜 이토록 다양한가? 그리고 왜 이토록 정교한가? 에 대한 다윈의 대답은 다음의 두 가지 점에서 매우 참신했다. 자연선택 이론의 특별한 점은 쉽고 간결한 논리 구조를 갖고 있으며 이 덕분에 누구나 자연선택 이론으로 생명체의 정교함과 진화를 설명할 수 있다.

아래 네 가지 작용 조건이 참일 때
- 모든 생명체는 실제로 살아남을 수 있는 것보다 더 많은 수의 자손을 낳는다.
- 같은 종에 속하는 개체들이라도 저마다 다른 형질을 가진다.
- 특정 형질을 가진 개체가 다른 개체들에 비해 환경에 더 적합하다.
- 그 형질 중 적어도 일부는 자손에게 전달된다.

어떤 개체군(population) 내의 형질들의 빈도는 시간이 지나면서 변하게 될 것이고 상당한 시간이 지나면 새로운 종도 생겨나게 된다.

옮긴이의 말은 책을 읽는데 정말 좋은 가이드가 되었다. 책의 내용이 어렵고, 낯설고, 장황하게 느껴질 수 있는 일반 독자들을 위해 읽는 방법을 설명해 주는 것 같아 좋았다. 하지만 동시에 악한 책이라는 생각도 동시에 들었다. 장대익 교수는 이 책을 쓰는데 분명 엄청나게 고생하면서 공헌한 대학원생들에 대한 리스펙트를 보이지 않고 그저 같은 포럼 교수들에게만 감사를 전할 뿐인데, 많은 대학원생들의 분업으로 (책의 가독성이 떨어지는 점에서 나는 그렇게 느꼈다) 만들어진 책이라는 것이 느껴져서 책을 괜히 샀다고 생각했다. (인세가 학생들에게 갈 것도 아니고)

다윈은 존재의 대사슬이든 에스컬레이터이든 존재를 일렬로 줄 세우려는 모든 전통에 종지부를 찍는다. 그의 ′생명의 나무′에서는 침팬지와 인간이 600만 년 전쯤에 어떤 공통 조상에서 갈라 져 나온 사촌지간으로 인식된다. 공통 조상과 생명의 나무 개념에서는 우월하거나 열등한 종 따 윈 없다.

다윈은 초판에서 진화(evolution) 대신 변화를 동반한 계승(descent with modification)″이라는 용 어를 사용하는데, 이는 진화가 progress만을 일으키는 것이 아니라는 그의 생각을 반영한다. 그렇다. 사실 이것은 디지몬과 포켓몬이 야기한 안 좋은? 결과 중에 하나라고 생각하는데, 진화는 항상 강해지고 멋져지는 것이 아니다.

어쨌든 갈릴레이가 인류를 천상에서 지상으로, 다윈이 인류를 신에서 동물로 떨어뜨린 것이 인류의 메타 인지? 에 굉장히 큰 영향을 끼쳤는데, 가장 놀라운 사실은, 이 메타인지가 인류의 자존감을 낮추기보다는 오히려 인본주의의 발달에 영향을 끼쳤다는 사실이다. 오히려 운명적 사고관에 서, 인간은 자유의지를 갖고 운명을 개적할 수 있는 자주적 생명체라는 사실을 사람들이 점차 깨 닫기 시작해서라고 생각한다. 우리가 외면하고 있던 현실을 직시함으로써 사람은 더 강해지고 무 심코 지나치던 진실을 탐구함으로써 인류는 진보한다.

다윈은 진화를 일으키는 메커니즘에 대해서 까지는 몰랐지만 이후 유전학의 아버지 그레고어 멘 델의 식물 교잡 실험에 대한 논문 (입자처럼 서로 섞이지 않는 유전 물질이 다음 세대에 독립적으로 유전된다)과 현대 통계학의 아버지로 불리는 로널드 피셔의 논문 (멘델이 보여준 불연속적 변이뿐만 아니라 사람의 키와 같은 연속적인 변이들도 멘델의 유전 이론으로 설명할 수 있음을 통계적으로 보임) 등을 통해 개체군의 유전자 빈도 변화에 초점이 맞춰진 진화론이 탄생했다.

얼마 전에 김상욱 교수님 강연을 들으러 간 적이 있다. 그때 말씀해 주신 것 중에 하나인데, 유클리드의 기하학원론이 위대한 이유는 그 내용의 중요성도 있지만, 그가 책을 쓴 방식이 위대해서라고 하셨다. 완벽한 (틀린 내용이 없는) 책을 쓰는 방법은 단 한 가지다. 참인 공리를 제시하고 오직 그 공리에서 파생되는 내용만 쓰는 것이다. 그렇다면 그 책의 모든 내용은 참이다. 유클리드가 기원전에 그런 식으로 인류 최초의 완벽한 책을 썼고 후대의 많은 과학자와 사상가 (뉴턴, 데카르트)에게 영향을 끼쳤다.

생물학이라는 거대한 책에서 다윈의 '종의 기원'이 참인 공리다. 여기에서 생물학이 시작되었고, 멘델의 유전학이 시작되었고, 왓슨과 크릭의 분자생물학이 시작되었다. 사실 모든 생물학의 기원이고 전제이고 근본 공리다. 이 공리가 언젠가 거짓으로 판명이 난다면, (그럴 수 있는 경우가 무엇이 있을까 싶긴 하다. 사실은 매트릭스 세계였고 진짜로 그냥 다양성을 위해 창조되었다던가) 세계는 어떤 충격과 변화를 맞이하게 될까?

Q. 앞으로의 종교의 위상은 어떻게 될 것인가?

은수 :

사실 인류는 늘 대답할 수 없는 질문에 대답하기 위해 신을 이용해 왔습니다. 진화가 뭔지 몰랐을 때 신이 창조했다고 설명했고, 진화의 원동력이 무엇인지 몰랐을 때는 신의 뜻이라고 설명했습니다. 인간은 항상 이유를 찾음으로써 의미를 찾고자 합니다. 삶의 의미와 관련된 부분에서는 더욱 그러합니다. 그런 나약한 인간을 위해 종교와 과학은 사실 대립하고 있는 것이 아니라 상호보완적으로 인류를 보듬어 주고 있다고 생각합니다. 기술이 발전할수록 분명 종교를 믿는 사람의 수가 줄어들고 영향력은 약해질 것이지만, 새롭게 생겨나는 수많은 실존적 질문들에 대해 종교는 지속해서 대답이 되어 줄 것이라 생각합니다.

과학도 언제든 틀릴 가능성을 내포하고 있으므로, 종교가 언제나 함께 가면서 부족한 부분들을 보완해 줄 것이라 기대합니다. 여담으로 불교가 저는 현대적이면서도 우주적인 종교라서 현대사회에 통하는 부분이 있는 것 같습니다. 자기 자신의 수행을 강조하며, 그를 통해 마음을 수련하는 것이 현대인에게 도움이 될 것 같습니다.

뎁씨 :

종교라는 것은 증명할 수 없는 존재에 대한 '믿음'이 집단화되는 것이라고 생각합니다. 꼭 그것에는 신적인 중심이 있을 필요는 없다고 생각합니다. 통치의 수단으로써 종교를 활용한다면 신이라는 중심이 필요하지만 하나의 교리나 공통된 믿음이 있다면 그 또한 종교라고 생각합니다.

지구를 평평하다고 믿는 소위 지구 평평이 분들이 계시지만, 그분들이 단지 소수이기 때문에 이런 조롱의 대상이 되는 것일 뿐. 내가 대륙 한가운데서 바다를 보지도 못하고 그냥 부모님이 그렇게 믿고, 그렇게 가르치고 있다면 나도 지구 평평교를 맹신하고 살았을지도 모릅니다. 지구 평평이 맞다는 명확한 근거가 없더라도 단지 내가 믿어온 것을 부정하는 반대 세력에 대한 적대감은 정보의 참 거짓을 떠나서 어디서든 벌어지는 현상입니다. 그것은 시골에서 제사상을 하냐 마냐로 싸우는 명절의 갈등과도 크게 다르지 않습니다. 빨간색으로 글씨를 쓰면 화를 내는 사람들과의 갈등과도 크게 다르지 않습니다.

기존 기독교나 힌두교 등의 '신'을 숭배의 대상으로 삼는 종교들은 쇠락할지 모르겠으나, 새롭게 발견되는 혹은 관측되거나 만들어지는 사회적 현상에 대한 새로운 종교가 생기지 않을 거라는 생각은 없습니다. 새로운 종교를 만들어 내도 괜찮겠다는 생각도 듭니다. 점점 소규모 단위의 집단이 형성되는 가족 아닌 가족의 형태, 일종의 팬덤과 다르지 않지 않을까.

람 :

기성 종교는 유지될 것 같습니다. 현대의 삶이나 과거의 삶이나 인간의 삶은 큰 변화가 없는 것 같습니다. 그때나 지금이나 인간의 기본 행동양식과 살아가는 방식에는 변화가 없었습니다. (의식주 행태) 그 예시로 '로봇 3원칙'으로 유명한 아이작 아시모프가 쓴 소설 'Foundation'이라는 책이 있습니다. 우주 전체를 지배하는 은하 제국이 있었는데, 해리 셀던이라는 심리역사학의 창시자가 이 제국은 곧 망하고 3만 년의 암흑기를 예측하였습니다.

그래서 이 암흑기를 1,000년으로 단축하기 위해 2개의 파운데이션이라는 나라를 은하 변방에 설립하게 합니다. 제1 파운데이션의 생존은 결국 종교를 이용해서 주변 변방 나라를 정복하고 통합하게 됩니다. 종교가 주는 힘은 분명합니다. 과학으로는 설명할 수 없는 신념과 열정을 북돋아 주는 역할이 있기 때문입니다. '신이 하였다', '신이 그렇게 말씀하셨습니다.' 이 한마디로도 엄청난 동기부여가 되기 때문입니다. 인간의 심리에 근원한 도구로서의 역할은 충실할 것.

연경 :

어떠한 형태로든 종교는 존재할 것 같은데, 종교를 가지게 되면 심적으로 기댈 수 있는 안전지대를 만들 수 있고, 또 다양한 불안을 해소할 수 있는 안전장치를 가지게 되는 것이기 때문입니다. 현대 사회에는 과거처럼 생명의 위협을 느낄 일이 많지는 않지만 크고 작은 불안 요소가 너무 많고, 핵가족화 및 개인화가 심해짐에 따라 인간관계의 끈끈한 느낌이 없어지는데서 오는 허전함과 공허함으로 인해 종교에 기대게 될 것 같습니다.

은수 : 마저 나누지 못했던 생각들

"각 유기체들은 기하급수적인 비율로 개체 수를 증가시키려 애쓰고 있고, 각 세대 동안이나 세대사이의 특정 시기에 생존을 위한 투쟁을 해야 하며, 파멸의 위기를 겪어야 한다 - 3장 생존 투쟁 中"

언뜻 보면 맬서스의 인구론을 차용한 문장 같지만 토마스 홉스의 만인의 만인에 대한 투쟁이라는 말이 생각나기도 하는 대목입니다. 전쟁과 기아, 학살 같은 일들이 개체 수 유지를 위해 인류가 발명한 진화 방식이라는 섬뜩한 생각이 들면서도, 홉스의 사상을 통해 민주적 사회계약론이 태동하고 인류는 동종의 개체들 사이에서의 생존 투쟁을 현명하게 줄여나갔다는 점에서 인류의 위대함을 다시 한번 확인할 수 있었습니다. 인류가 수많은 멸절의 가능성 속에서 꽤나 훌륭한 선택을 해왔다는 사실이 놀랍습니다.

"종 간에 치열한 경쟁을 해야 하는 곳에 서식하는 경우 습성 및 체질의 차이와 더불어 구조의 다양성이 주는 이점은 그곳에서 함께 서식하면서 서로 가장 격렬하게 다투는 동물들이 대개는 소위 다른 속이나 다른 목에 속하도록 만든다는 것을 알 수 있다. - 4장 자연선택 中"

생물들은 이렇게 서로 간에 보이지 않는 군비경쟁을 하고 있습니다. 남이 강해지면 나도 따라서 강해져야 합니다. 사실 이것도 인간 사회에 적용할 수 있습니다. 큰 도시에 일자리와 사람들이 집중되고, 끊임없이 서로 경쟁하고 있습니다. 이런 군비경쟁을 통해 개인은 더 나은 능력을 갖추고 자아를 실현할 수도 있지만, 자신의 삶을 잃어버리거나 경쟁에서 밀려날 수 있습니다. 사회는 사회를 바꿀 수도 있는 엘리트들을 얻을 수 있는 기회를 더 얻게 되지만, 막대한 사회 비용이 경쟁에 소모되고 있습니다. 종 간 또는 종 내에서의 경쟁에 장단점이 있는 것은 당연하지만 좀 더 긍정적으로 보는편이신가요 아니면 좀 더 부정적으로 보는 편이신가요?

"나는 거대한 생명의 나무도 이와 마찬가지라고 믿는다. 그 나무에서도 세대가 거듭되면서 시들어 떨어진 나뭇가지들은 지표를 뒤덮는 반면, 계속해서 갈라져 나가는 아름다운 나뭇가지들은 그 나무를 뒤덮고 있다. - 4장 자연선택 中"

사실 변화는 변화가 아니라고 생각합니다. 변화하는 세상 속에서 나 자신의 상태를 유지하기 위함이죠. 그러므로 주변 환경에 맞추어 빨리 변화하는 자가 더 많은 자리를 차지할 수 있다는 것은 사실로 보입니다.

변화의 결과가 항상 긍정적인 것은 아니지만, 유지의 결과는 항상 부정적입니다. 참으로 귀찮고 불편한 세상이 아닐 수 없습니다. 오직 유전자의 보존에만 도움이 되는 자연의 섭리인 것 같아요.모든 생명체가 이렇게 아등바등 열심히 변화하고 생존에 힘쓰는 이유는 무엇일까요? 그 한 개체의 삶에서 변화는 긍정 반 부정 반입니다. 도전이 그 개체의 생존에 오히려 불이익이 되는 경우가 많음에도, 개체군 전체로 보았을 때는 그 도전이 이롭고 필수불가결합니다. 리처드 도킨스의 이기적 유전자론처럼, 정말 모든 것은 유전자를 잘 후대에 전달해 주기 위해서일까요? 개체들이 열심히 변화하고 적응하는 근본적인 이유는 무엇일까요?

"자연은 도약하지 않는다 (라이프니츠, natura non facit saltum) 자연은 변이를 일으키는 데는 너그럽지만, 혁신을 일으키는 데는 인색하다. (밀른 에드워즈)"

함수의 그래프가 어떤 한 점에서 끊어지지 않고 연결되어 있을 때, 이 함수는 그 점에서 연속(continuous)이라 합니다. 연속은 시간의 흐름처럼 존재나 과정 속에 간격이나 비약이 없는 것을 말합니다. 자연에서 수는 1,2,3 이런 식으로 도약하지 않고 그 사이에 무한히 많은 '실수'가 존재합니다. 모든 실수에 대해 그 값이 존재하므로 그래프를 끊어짐 없이 그릴 수 있습니다.

곡선이 단절 없이 매끄럽게 연결되어 있을 때, 그래프 위의 임의의 점이 오른쪽으로 조금 움직이던지 왼쪽으로 조금 움직이던지 그 위치가 예측 가능할 것이며, 이를 통해 우리가 무언가를 조정했을 때 일어나는 변화를 예측할 수 있게 됩니다. 라이프니츠는 이 개념을 통해 미분을 발명했습니다. 무언가 연속되어 있다면, 미래를 예측할 수 있으며, 이것은 진화론에도 통용되는 말일 것입니다.

람의 질문들

종의 기원은 사실 제가 읽어서는 안될 책입니다. 왜냐하면 저는 이 책에서 주장하는 진화론에 반하는 창조론을 주장하는 기독교인이기도 하며, 학창시절 과학을 사랑하는 과학도 였지만 생물 과학을 가장 좋아하지 않았기 때문입니다.그럼에도 불구하고 이 프로젝트에 참여하게 된 계기는 편식을 하고 싶지 않아서 입니다. 내가 좋아하는 책만 읽는 것이 과연 인생 전체로 볼 때 도움이 될까? 아니라고 봅니다. 때로는 억지로 내 자신으로 하여금 싫어하는 일에 도전하게 하는 것도 필요하다고 생각합니다. 그래서 이 LP 프로젝트를 통해 한 층 더 성장하는 제 자신과 여러분을 기대합니다.

저자는 '종의 기원'이라는 문제에 대해 실증적 연구를 통해 고대부터 지금까지 기독교 세계관에서 주장하는 종에 대해 "어느 것이나 따로따로 창조된 것이 아니라 변종처럼 다른 종에서 유래하는 것'이라는 연구 결론을 주장하고 있습니다. 19세기, 1859년 이 책이 출판되었다는 점에서 볼 때 저자는 엄청난 대중의 비난과 반대 여론을 각오하고 이 책을 썼을 것입니다. 그리고 다윈 역시 기독교인이었기 때문에 자신의 종교적 신념과, 학자로서 연구에 대한 양심을 지키는 것 사이에 얼마나 큰 내적 갈등을 하며 이 책을 집필하였을지를 생각하며 이 책을 읽고 있습니다. 그래서인지 읽을수록 자신의 개인적 견해나 감정보다는 객관적 사실을 위주로 써내려 갔다는 생각이 듭니다. 저 역시 제 종교적 신념과 과학적 결과 사이에 계속 고민 중에 있습니다.

"양배추 등의 여러 품종을 아주 메마른 땅에 적응시키면, 즉 몇 대에 걸쳐 그 땅에서 재배하여 성공한다면, 이들 품종은 폭넓게, 때로는 완전하게 야생의 원종으로 되돌아갈 수 있는 것이다."

양배추 등의 품종을 메마른 땅에 몇대에 걸쳐 적응시키면 완전에 가깝게 야생, 원시상태로 돌아갈 수 있다고 합니다.

그렇다면 우리 인간 또한 어느 날 갑자기 어떤 요인에 의해 지금 이룩한 과학 기술과 현대 문명을 잃고 한 순간에 원시시대로 돌아간다면 어떻게 변할까요? 그 변화는 어느 정도의 속도로 변할 것인지, 또 우리가 학교에서 과학시간에 배웠던 네안데르탈인, 크로마뇽인처럼 원시인으로 돌아갈지, 아니면 새로운 종으로 변화할지 생각해보면 좋을 것 같습니다.

"어느 지방이건 같은 종류의 개체를 많이 키우려면 그 종을 그 땅에서 자유롭게 번식시킬 수 있는 유리한 환경 밑에 있도록 해야 한다."

이 내용을 지금 내 자신에게 적용하여 생각해봤으면 좋겠습니다. 먼저 나는 현재 어떠한 환경에 있으며, 지금의 환경이 나를 발전시키고 나를 나답게 만들어주는지 이야기 해봤으면 좋겠습니다. 그리고 진정 내가 원하는 내가 추구하는 나의 삶을 살기 위해서 나는 어떠한 환경에 있는 것이 유리하고 좋은지를 다같이 얘기해보면 좋을 것 같습니다.

Q. 나는 현재 어떠한 환경에 있으며, 지금의 환경이 나를 발전시키고 어떻게 나를 나답게 만들어주는 걸까요? 내가 원하는, 내가 추구하는 방식으로 나만의 삶을 살기 위해서 나는 어떠한 환경에 있는 것이 유리한지 생각해 보셨나요?

람 :

저는 새로운 먹거리를 찾고 다니는데, 직장을 다니다가 생존을 위해서 스스로를 절벽으로 밀어내니악착 같이 하게 됩니다. 그래서 절박함으로 움직이게 되는데 다른 분들은 어떠신가요? 스스로를 절벽까지 몰았을 때 변화한 경험에 대해 이야기해볼까요?

명진 :

저는 람님과 비슷해요. 목표가 생기면 할 수밖에 없는 상황을 만들어서 달려가는 '목표지향적'인 사람이에요. 회사 일에만 매달리다가 퇴근하는데, 문득 안정적인 울타리 너머의 설렘에 대해 무뎌졌다는 생각이 들더라고요. 사람은 적당히 치열하게 살고 스스로 몰아세우기도 하면서 긴장감 있는 상황에서 그것을 이뤘을 때 자존감도 올라가고 에너지도 얻을 수 있다고 생각하는데, 그동안은 회사 일에만 매달려서 그 외의 것들을 놓치고 있었던 거죠.

그래서 나이 들면 더 하기 어려운 일들이 뭐가 있을까 생각을 하다가 대학원 진학을 생각하게 되었어요. 마침 미뤄놨던 공부도 하고 싶었고요. 그런데 주변에서는 '늦은 나이'를 앞세워 '투자금의 효율성'을 강조하시는 분들도 계셨고, 선결후공(결혼 먼저 공부 나중)이라는 말을 하시는 분들도 계셨고요.

주변 기류(?)에 흔들거릴 것 같아서 면접 통과한 후에 더는 무를 수 없도록 바로 입학금 입금해 버렸어요. 공부하면서 흔들릴 때마다 등록금비를 생각하면서 2년 동안 일과 회사 병행하며 버텼고, 이번 달에 졸업하는데 제 자신이 너무 대견하고 노안이 오기 전에 졸업할 수 있게 되어서 너무 기쁩니다. 졸업장 받고 다음 달부터 다른 것들을 해볼 생각인데, 그것 또한 너무 기대되고 생활에 또 다른 즐거움이 될 것 같아 설레기도 합니다.

뎁씨 :

친구들이 저를 부르는 별명? 같은 게 있는데, 잉어킹이라고 있습니다. 아무 기술도 없고 아무런 움직임도 없는, 호수의 잉어킹 같은 사람이라고. 누가 건드리지 않으면 평생을 호수에 부유하고 끝나는 그런 사람. 나는 사실 외부의 자극이 없으면 그냥 물이 흘러 들어오면 흘러가고, 눈앞에 새로운 게 떨어지면 그것을 쳐다보고, 또 한입 맛보고 그러는 삶입니다.

살면서 무언가 미래 계획을 생각하고 살아본 적이 없는 것 같습니다. 나를 발전시키는 건 나의 능력이 아니라 랜덤 하게 나에게 주어지는 사건들이며, 단지 마인드라고 해야 할까? 다만 어떤 자극에도 빠르게 적응해서 그것의 일부가 되어야겠다라는 생각으로 살고 있습니다.

연경 :

대학까지 졸업했으니 취업을 해야 하는 때인데, 이것은 사회의 기준이고 개인의 속도가 고려되지 않은 과업이라 생각이 들어서 가지의 속도를 존중하는 환경이 조성되면 좋겠다는 생각을 자주 합니다.

하던 공부를 잠시 쉬면서 하고 싶은 다양한 것들을 하고 있음에도 다른 사람들이 취업을 하고 공부를 하고 있는 것을 앞서나간다고 여기고, 그것이 스트레스 요인으로 작용하니 인생의 과업에 시기나 순서가 정해져 있는 사회에 불만족하게 되는 것 같습니다.

사회에서 성공의 척도로 보는 부귀, 명예, 권력 등에 크게 관심도 없고 내가 좋아하는 것들을 하며 살고 싶은데 그러한 삶은 도태된 삶으로 여겨지는 현실이 안타깝습니다. 지금보다 조금 더 느슨하고 서로 으쌰으쌰할 수 있는 분위기의 사회 속에서 더 많이 배우고 발전할 수 있을 것 같습니다.

명진 :

연경님께서 말씀하셨듯이, 나의 불안이 시작되는 건 남들과 비교해서 본인을 낮춰보는 데서부터 출발하는 것 같습니다. 소위말해, 하이라이트를 받는 사람들의 생활을 공유하는 세상에서 살면서 나의 중심으로 나의 속도로 나아간다는 건 분명 쉽지 않은 일이니까요.

그럼에도 불구하고 본인이 추구하는 삶을 살고 싶다면, 마음속 깊은 곳 중심에 무거운 추를 매달아 주변 자극에 흔들리지 않도록 스스로 단단히 다져야 할 것 같습니다. 그 추의 무게는 결국엔 자존감의 퇴적량으로 결정되고, 자존감은 작은 성취와 변화로부터 쌓이는 거라 생각합니다. 결론은 타인으로부터 상처를 받을 필요도 없고 나의 페이스를 잘 유지하는 것이 중요하다는 거. 다 잘 될 거니까 너무 불안해하지 말고.

람 : 누구나 겪는 과정일 뿐이야. 그냥 하게 되더라구요. 모두 이러한 과정을 지나왔고 나 역시 one of them 일 뿐입니다.

윤정 :

스스로 적절한 환경을 세팅하는 것도 중요하다고 생각합니다. 저는 하나의 방식으로 SNS를 하지 않는데, 도구로서는 훌륭하지만 거기에 휘둘리는 스스로를 보면서 저는 그렇게 강한 사람이 아닌 것 같다고 판단했습니다. 나의 환경에서 무언가를 없애는 것이 누군가에겐 회피로 비칠 수 있으나 저에겐 하나의 방법이 되었다고 생각합니다. 그 외에 경제적 여력이 없어도 내가 할 수 있는 것을 찾아서 아주 작은 변화를 경험하며 사는 것도 방법인 것 같습니다.

은수 :

저는 굉장히 많은 환경 변화를 경험했고, 그것에 적응해야만 했습니다. 20대 때 이사를 13번 정도 했습니다. 그러나 감사하게도 적응이라는 능력을 가지고 있어서 잘 버틸 수 있던 거 같고, 그런 다양한 환경에 적응해 온 경험이 제게 굉장히 귀중한 자산이 되었습니다. 종의 기원에서도 일반적으로 변이가 많을수록 좋다고 말합니다. 이런 변이가 쌓일수록 unique 해지는데, 이것은 생존에 도움을 줍니다. 변화하는 것에 대해서 긍정적으로 생각하시고, 커리어가 단절되는 것을 걱정하지 말고, unique 해지는 나를 기대해 봅시다.

명진 :

팀 이동이 있을 거라는 이야기가 돌기 시작하는데, 그중 하나가 저라고 하더라고요. 은수님께서 변화로 만들어진 Unique해진 나를 기대해 보자는 말씀에 위로받고 갑니다.

Part2 (Day2)
지구에서
화성까지

완독을 해내고야 만 기념사

뎁씨

    살면서 직선적인 방향으로 살아오지 않았습니다. 학교를 다닐 때(예체능)와, 대학을 다닐 때(문학), 군 병과(교육), 첫 직장(방송), 지금 직장(프로그램개발), 취미(미술, 독서) 모두 다 다른 것들을 하고 싶은 대로 해내며 얕게 살아왔습니다. 지금은 앱 개발 일을 하지만, 두 번째 직업으로는 작가를 지망하고 있습니다. 단지 직관대로 미래를 계획하기보다 그냥 당장 하고 싶은 것을 하고 살았고(생존해 있고) 그래서 경험과 직감만으로 모든 영감을 통찰할 수 있다는 생각을 가지고 살고 있었습니다.

    저에게 종의 기원은 단지 생물학의 바이블이 아니었습니다. 인간이 사고해 내야 하는 방식에 대하여, 인간이 논리적으로 추론해 내야 하는 더 많은 가능성에 대한 고찰이었습니다.

    남들은 방대한 양의 예시와 추론들로 지루했다, 재미없었다는 반응이 있지만 저는 '뭐지 어떻게 이런 각을 본거지?' 라는 흥미로움이 책을 읽어나가면서 계속 들어왔습니다. 이 책, 챕터분류와 또 챕터 제목들도 너무 잘 따지 않았습니까?

진화론에서 가장 핫했던 키워드인 원숭이에 대한 이야기는 결국 찾아볼 수 없었지만, '이런 사실을 논리적으로 추론해 낼 줄 몰랐던 원숭이는 바로 너란다🐒'라는 메시지가 울리는 듯한 진정한 자기 계발서가 아닌가 생각이 듭니다.

진화가 '더 나아짐'을 뜻하는 것은 아니지만, 정말 오랜만에 지능이 진화함을 느끼는 책이었습니다. 요즘 여러 자기 계발책들이 많이 나오고 그걸 맹목적으로 실천하는 사람들도 꽤 많던데, 그분들에게 꼭 종의 기원을 추천해주고 싶습니다.

명진

종의 기원 Part1(Chapter 01~07)은 반복적인 근거 말하기와 만연체의 사용으로 읽기 어려웠었는데, 후반부로 진행될수록 다윈이 주장하고자 했던 '종의 기원'에 대한 색깔이 좀 더 선명해지고 있다고 느꼈습니다. 전반부에는 볼 수 없었던 '창조론'에 대한 반박을 정면으로 내세우며 강한 어조로 글을 써 내려가는데, 이미 정해진 세상의 법칙을 본인의 '펜'

과 그를 뒷받침하는 '사실'로 부셔야 하는 상황에서 20년 동안 발표하지 않고 고뇌했을 다윈의 복잡한 심경을 엿볼 수 있었습니다. 그의 파격적인 연구결과 대로 발표하되, 기존 과학적 사실에 대한 겸손함과 자연에 대한 경외심을 잃지 않으려는 다윈의 학자로서의 태도는 200년에 걸쳐 내려온 그의 논문만큼이나 본받을 만하다고 생각합니다.

연경

앞부분과 다르게 조금 더 잘 읽히는 날이 많았고 특히 봉사 활동을 가서 밤에 읽을 때는 집중이 너무 잘 되기도 했습니다. 책을 읽는 데에 있어 진도는 조금 빨라졌지만 내용이 착착 정리되지 않는 느낌이 들었는데, 현대 사회에서 교육을 받은 우리에게는 당연한 상식을 반복하고 있기 때문이었던 것 같습니다. 학자로서 자신의 연구를, 특히 정설에 반하는 새로운 연구를 알리고자 결심하고 실행한 다윈의 모습을 배워야겠다는 생각도 들었습니다. 또한 20년간 발행을 미루면서도 끝까지 자신의 이론을 지키고 발표한 뚝심이 정말 존경스럽습니다. 자신이 정립한 새로운 이론에 대해 믿음을 가지고 발전시켜 가고, 두렵지만 그것을 발표하면서 사람들을 일깨우고자 한 다윈의 태도를 내가 아는 것을 나누고 싶어 하는 사람의 입장에서 정말 본받고 싶었습니다. 그리고 새로운 것을 배우고자 하는 태도와 원래 알고 있던, 믿고 있던 것에 대해 다른 시각에서 접근해 보면서 탐구하는 자세가 많은 사람들에게 생기면 좋을 것 같습니다.

은수

그 시대에 오스트레일리아 남아메리카 식물까지 파악을 한 것이 정말 대단했고, 베게너의 대륙이동설 (1912년)이 발표되기 전에 이미 떨어진 대륙에서 사는 생물들 간의 유사성을 설명하고 있다는 점이 정말 놀라웠습니다.

모성애와 모성 증오는, 그 집단의 이익을 위해서는 유익한 것임이 확실한, 모두가 자연선택이라는 냉혹한 원리에 따른 것이기 때문이라는 구절이 나오는데, 이런 부분들을 보면 리처드 도킨스의 이기적 유전자 사상? 이 이미 다윈의 종의 기원에서 다루어졌다는 것을 알 수 있어 또 굉장히 놀라운 부분이었습니다.

생각보다 더 직접적으로 창조론에 대해 반박하는 어조가 신기했고, 종에 대한 정의 등, 현대의 생물 지식과 다른 부분들이 일부 있어 흥미로웠습니다.

다윈은 초판에서 진화(evolution) 대신 변화를 동반한 계승 (descent with modification)"이라는 용어를 사용하는데, 이는 진화가 progress만을 일으키는 것이 아니라는 그의 생각을 반영한다고 옮긴이는 적어두었습니다. 맞습니다. 사실 이것은 디지몬과 포켓몬이 야기한 안 좋은? 결과 중에 하나라고 생각하는데, 진화는 항상 강해지고 멋져지는 것이 아닙니다. 진화에 대한 정확한 표현이 나와있는 부분이 특히 마음에 들었습니다.

갈릴레이가 인류를 천상에서 지상으로, 다윈이 인류를 신에서 동물로 떨어뜨린 것이 인류의 메타 인지? 에 굉장히 큰 영향을 끼쳤는데, 이 메타인지가 인류의 자존감을 낮추기보다는 오히려 인본주의의 발달에 영향을 끼쳤다고 생각합니다. 다윈의 종의 기원 같은 책이 있어서 오히려 운명적 사고관에서, 인간은 자유의지를 갖고 운명을 개척할 수 있는 자주적 생명체라는 사실을 사람들이 점차 깨닫기 시작했다고 생각합니다. 우리가 외면하고 있던 현실을 직시함으로써 사람은 더 강해지고 무심코 지나치던 진실을 탐구함으로써 인류는 진보합니다.

람

생명의 나무(Tree of life): 지구에서 현재 살아있거나 멸종된 모든 생물종의 진화 계통을 나타낸 계통수, 진화계통수라고도 부릅니다. 찰스 다윈이 공통조상에서 종분화를 거쳐 여러 종들이 갈라져 나오는 생물다양성을 설명하기 위해 도입하였다고 합니다.

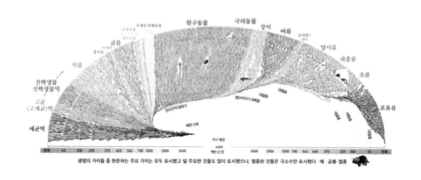

그림 9-1 위대한 생명의 나무 © Leonard Eisenberg

종의 기원과 생명의 나무를 보며 우리의 직관을 믿지 말아야겠다고 생각했습니다. 직관적으로 생각하는 진화는 아래 사진과 같이 한 방향, 진보로 오해하기 쉽다. 하지만 위의 생명의 나무와 같이 수많은 곁 가지로 환경에 적응하는 방향으로 다양한 진화가 이루어진다는 것이다.

제 자신에게 적용해볼 때, 사업을 하면서 여전히 직관적으로 하는 부분들이 많다는 것을 알게 되었습니다.

데이터를 갖고 하는 게 아니라, 직관, 감각적으로 하는 것들이 많았습니다. 통계청이나 상권정보 에서 제공하는 빅데이터 한 번 확인하지 않고 거리뷰와 현장 한 번 가보고서 "여기 유동인구가 제법 있네? 여기에 사무실 마련해볼까?" 이런 식으로 의사 결정 하려는 제 모습을 보았습니다.

다윈처럼 근처 카페에서 일주일 동안 머물며 직접 유동 인구의 변화를 관측을 하거나 인터넷을 통해 확인할 수 있는 데이터들을 비교 분석하는 태도로 사업을 진행해야겠다고 다짐하였습니다.

다윈은 종의 기원을 발표하기까지 오랜 시간 동안 진행한 실험과 관측 자료를 정리하기 위해 무려 20년이라는 세월이 걸렸습니다. 20년은 아니지만 무언가 한 분야에 정통하기 위해서 장기적인 관점으로 시간 투자가 필요하다는 것을 새삼 느낍니다.

윤정

'나의 생각들' 파트에서 자세히 이야기 해요.

Chapter 요약 (by 은수)

8장 잡종

변종들로 알려진 혹은 변종으로 여겨질 만큼 충분히 닮은 형태들 사이의 교배와 그 변종 간 잡종 의 자손들은 반드시 보편적이지는 않지만, 전반적으로 상당한 생식 능력을 갖고 있다. 불임 문제 는 잠시 제쳐두고, 다른 모든 점에서, 종이 교배해서 태어난 자손과 변종이 교배해서 태어난 자손 들 사이에는 일반적이고 밀접한 유사성이 존재하는 것으로 보인다.

만약 우리가 특수하게 창조된 것으로 보고 변종을 이차적인 법칙에 따라 생긴 것으로 본다면, 이 유사성은 실로 믿기 어려운 사실일 것이다. 그렇지만 그것은 종과 변종 사이에 본질적인 차이가 전혀 존재하지 않는다는 시 각으로 보면 완벽하게 이해 가능한 현상이다.

우리도 사실은 어떤 종의 변종일 뿐이라 생각하면, 종의 경계는 흐릿해지고 종과 변종 사이에 본 질적인 차이가 없다는 것을 이해할 수 있다.

9장 지질학적 기록의 불완전함에 관하여

라이엘 경의 비유를 따르자면, 나는 지질학적 기록이란 것은 마치 변화하는 방언으로 저술되었으 며 불완전하게 남겨진 세계사와 같다고 생각한다. 이 역사에 대해서 우리는 겨우 두세 세기만을 다루는 마지막 책 한 권만을 가지고 있을 따름이다. 그리고 이 마지막 책 한 권조차도 여기저기 에 짧은 장만이 남아 있을 뿐이며, 매 쪽마다 겨우 몇 줄 만이 남아 있다.

이 역사를 서술하고 있는, 점진적으로 변화하는 언어 속에서 각각의 단어들은 드문드문 이어진 장들에서 많이 다를 때도 혹은 조금 다를 때도 있다. 이 단어들은 이어져 있기는 하지만 멀리 떨 어져 있는 지층들에 파묻힌, 급작스럽게 변화하는 생명체들을 표상한다. 이런 시각으로 보면 앞에 서 논한 어려움들은 크게 감소하거나, 심지어 사라질 수도 있다.

10장 유기체들의 지질학적 천이에 대하여

나는 한 나라의 모든 서식 생물들을 급격히, 동시적으로, 혹은 동일한 정도로 변화하게 만드는 확 고한 발달의 법칙이 있다고 생각하지 않는다. 변화의 과정은 극도로 느릴 것이다. 각 종의 가변성 은 다른 모든 종들의 가변성과 독립적이다.

한 지역의 서식 생물들이 다수가 변화하고 개량되었을 때, 경쟁의 원리 및 유기체 대 유기체 사 이에 작용하는 다수의 중요한 관계의 원리에 따르면 거의 변화되지 않거나 개량되지 않는 형태는 무엇이든 막론하고 소멸할 가능성이 높다는 사실을 우리는 이해할 수 있다. 따라서 충분히 긴 시 간 간격을 고려한다면, 왜 동일한 지역의 모든 종들이 결국은 변화를 겪는지를 이해할 수 있다. 변화하지 않는 것들은 멸종할 것이기 때문이다.

11장-12장 지리적 분포

나는 북부에서 남부로의 이주가 더 우세하게 일어났던 이유가 남부보다 북부의 육지가 더 넓어서 북쪽의 형태들이 그들의 서식지에 더 많이 존재했으며, 그 결과 자연 선택과 경쟁을 통해 남부의 형태들보다 더 높은 완성 단계에서 지배력을 갖도록 진보했기 때문이라고 생각한다. 따라서 빙하 기에 양측이 만나게 되었을 때, 북쪽의 형태들이 자기들보다 약한 남쪽 형태들을 도태시킬 수 있었다.

그 시대에 오스트레일리아 남아메리카 식물까지 파악을 한 것이 정말 대단하다. 이 파트를 읽으면 서 계속 들었던 의문은, 다른 대륙에서 발견되는 비슷한 형질에 대해 빙하기를 가지고 주로 설명 을 하는데 그 당시 베게너의 대륙이동설은 어느 정도 보편화 되어 있었던 걸까?

왜 이른바 창조력이라는 것이 먼 섬들에다가 박쥐만 만들고 다른 포유류는 만들지 않았는가에 대 한 의문을 제기할지도 모른다. 내 이론에 따르면 이 질문에는 쉽게 대답할 수 있는데, 육상 포유 류는 넓은 바다 공간을 가로질러 이동하지 못하지만 박쥐들은 날아갈 수 있기 때문이다.

　동일한 지역 내에서 잇따른 여러 시대 동안 계속 변해 온 생명 형태들을 보든, 아니면 멀리 떨어 진 지역으로 이주한 다음에 변화한 형태들을 보든, 양쪽 경우 모두에서 각각의 강내의 형태들은 세대의 끈으로 연결되어 왔기 때문이다. 그리고 어떤 두 형태가 혈연으로 더욱 가까이 연결되어 있을수록 일반적으로 그들은 시공간적으로 서로 더 가까이 있을 것이다. 양쪽의 경우 모두 변이 의 법칙들은 동일했으며, 변화는 자연 선택이라는 동일한 힘으로 통해 축적되어 왔다.

13장 유기체들의 상호 유연관계, 형태학, 발생학, 흔적 기관

　박물학자들이 어떤 둘 이상의 종들 사이의 진정한 유연관계를 보여주는 것으로 간주하는 형질들이 공통 조상으로부터 유래된 것들이고, 그런 만큼 진정한 분류학은 모두 곧 계보학이라고 보는 것이다. 단순히 더 닮은 것들을 한데 묶고 덜 닮은 것들을 갈라놓는 것이 아니라, 바로 박물학자 들이 무의식적으로 추적해 온 숨은 연대라는 것이다.

흔적 기관들은 어떤 단어에서 철자는 남아 있지만 묵음이 되어 버린 글자에 비유할 수 있다. 이 때 그 글자는 단어의 어원을 찾는 데는 유용한 실마리가 된다. 변화를 동반한 계승이라는 시각에 서 우리는 흔적 상태, 불완전한 상태, 그리고 쓸모가 없는 상태로 있거나 아니면 완전히 사라진 기관들의 존재가 몰랐던 난제를 제시하기는커녕 대물림의 법칙으로 설명될 가능성이 있으며 실 제로 설명된다는 결론을 내릴 수 있다. 이는 일반적인 창조원리로 보면 확실히 불가능한 일이다.

서로의 생각을 이야기 하는 시간들

뎁씨의 질문들

우리는 더 잘 이해할 수 있다. 다양함이 어울려 사는데는 더 다양한 이해가 필요하다.

** 주의 : 이 발제문의 사상은 사회적으로 선하지 않을 수 있으며, 더러 비윤리적인 면모가 있을 수 있으나 자유로운 토론을 위한 생각일 뿐 서로에게 오해가 없었으면 합니다.

두번째 종의 기원을 읽어가면서 한편으로는 위험한, 한편으로는 자꾸 내적 갈등을 일으키는 이 생각을 언젠가 기준을 잡아야겠다는 생각이 들었습니다. 그래서 조심스럽게 질문 또는 논란의 주제를 꺼내봅니다.

Q. 인간은 모두 같다고 할 수 있는가? 다르다면 내가 생각 하는 '다른 종' 이라는 영역의 기준은 어떠한가?

라는 것입니다. 나와 같은 종이라고 느끼는 소위 ′나의 관대함′은 어디까지인지. ‘차별주의자′라는 낙인이 없다면, 그 무엇도 나에게 불이익을 주지 않는다면, 다른 나라 혹은 다른 인종으로 일컬어지는 사람과 연애나 결혼이 가능한지? 만약 연애는 되고 결혼은 안된다면 왜 그런지? 만약 일부만 가능하다면 어떤 외형의 사람들 까지 가능한지? 그 기준은 무엇인지?

과거에는 비슷한 유전자를 가진 그룹 내에서의 협력이 생존에 유리했을 것입니다. 이는 현대에도 일종의 생존 전략으로 작용할 수 있어 다른 인종과의 교제를 꺼리게 만들 수 있습니다. 사람들은 자연스럽게 자신과 유사한 인종과의 교제를 선호하고, 이는 다양한 문화나 특성을 가진 인종 간 교제를 꺼리는 이유 중 하나가 될 수 있습니다.

종의 기원 두 번째 파트와 결론은 떠오른 이 질문에 대한 많은 사유를 하게 합니다. 저는 이번 파트를 읽어가면서 지역과 문화, 그리고 현재 우리가 느끼는 다양한 ‘외형적 다름’에 대한 인식에 대해서 많은 인식들을 새로이(새롭다고 모두 사회적으로 환영받지는 못할 순 있겠습니다. 이건 생각이지, 행동에 옮겨 범죄화하겠다는 다짐이 아니라는 점 미리 밝힙니다.) 가지게 되었습니다. **왜냐하면 우리는 오랜 시간 동안 ‘인간은 다르지 않다’** 라는 것을 진리처럼 배워왔기 때문입니다.

당연히 이 질문의 의도는 특정 인간의 특정 가치가 더 우열한가를 따지기 위한 것이 아닙니다.

　외형(외모, 인종 등)에 대한 이야기를 하지 않을 수 없겠습니다. 솔직히 말하면 저는 완벽히 부정할 수 없는 '외모지상주의'를 몰래 품고 삽니다. 물론 모임이나 직장, 안전이 보장된 집단에서는 별 관계없이 대하지만 단지 행동으로 드러나 피해보았다고 생각하는 사람들이 없어 문제없는 것뿐입니다. 처음 보는(다시 볼일 없을 것 같은) 사람들에게는 내 마음(또는 본능의) 기준에 따라 수많은 온정의 편차를 보입니다.

　한때 내가 좋아하는, 혹은 싫어하는 연예인의 외모를 몹시 구체적으로 나열해 본 적이 있습니다. 이러한 일도 대개 외적으로 '차별'이라고 하기도 합니다. 하지만 지나가던 50세의 동남아 남성이 20살 한국인 여성에게 데이트를 신청했고 여성이 거절하는 것을 차별이라고 하지 않습니다. 어떤 이들은 이를 더러 치한이라고, 부도덕하다 매도하기도 합니다. 우리는 왜 '모든 종'에 대해 항상 관대(이타적)해야 합니까?

　우리는 우선적으로 피부색이 다르다는 이유로 물리적인, 사회적인 영향력을 행사해서는 안된다고 배우거나 무언가를 통하여 전해받습니다. 이러한 행동은 다원적 선택의 결과로 볼 수 있지만, 사회적으로는 공정하지 않은 결과로 인식

될 수 있습니다. 그래서 **이러한 영향력을 타인에게 행사하는 것을 인종차별이라고 하며, 특정 국가에서는 중대한 범죄 혹은 민사적 보상의 대상으로 여겨집니다.** 다만 오늘은 이 질문에 한하여 '인종'이라는 단어를 단순히 흑인과 황인 백인을 나누는 것을 너머, 내가 완전히 '동류'라 느끼는 생물학적 외형군을 칭하는 것으로 이야기해보고자 합니다.

다윈의 관점에서는 종 내에서의 다양성이 자연선택에 의해 형성된다고 주장했습니다. 생물은 자신의 환경에 더 적응하고 번식 기회를 확보할 수 있는 특성을 발전시키는 경향이 있습니다. 이를 사회에 적용하면, 외모는 많은 경우 사회적 상호작용, 진화적 선택, 번식 파트너 선택 등에서 중요한 역할을 하게 됩니다.

잘생겼고 못생겼고 가 기준이 아니고, 내가 '다른 종'이라고 느끼는 사람들에게 두려움을 가지고 있다는 것입니다. 나는 어떤 사람의 '외형'에 두려움을 느낍니까? 저는 이것을 종의 다름으로 인한 경계에서 왔다고 생각합니다.

인간은 교육받을 수 있고, 때때로 반복 교육으로 특정논리를 신념화하는 것도 가능합니다. 그래서 인종차별이 가득했던 미국에서의 인종차별은 예전보다 확연히 줄었으며, 인종차별을 행하는 백인들에 대한 백인들의 제제가 보이기도 합니다. 여기서 저는 의문이 들었습니다. 인종차별(Racism,

Race)은 말 그대로 다른 '종'에 대한 차별이라는 점이며 이 것이 성행했으며, 이것은 인간이 피부색으로 1차원 적으로 다름을 느낀다는 것을 어느 정도 반영한다는 것이라고도 생각됩니다.

나도 어디서 인종차별을 받겠지만, 그것을 '쟤는 못 배워서 그렇다'라고 하는 것은 또 다른 사회적 우생학을 낳는 결과 가 되기도 합니다. 진화적 역사에서는 타인에 대한 무감각한 선입견이 종종 생존에 유리했을 수 있습니다. 유전적으로 유사한 그룹과 협력하고, 다른 그룹과의 충돌을 피하는 행동이 적응적이었을 것입니다.

그렇다면 다른 '종'의 인간을 이해하기 위해 필요한 것은 무엇입니까?

우리는 생물학적으로 교잡이 가능하기 때문에 같은 종이 라 묶을 순 있지만, 본능적인 거부감은 어쩔 수 없는 것들이 아직 많이 있습니다. 인간은 그것을 사회의 기능으로서 교육 하고 통제하게 됩니다. 그것이 인간과 동물을 나눌 수 있는 점이다라는 '희망'을 내려놓으면 우리는 오히려 더 타인을 이해하게 될지도 모릅니다. 인간은 이미 충분한 변종으로서 의 각자 다른 종으로 살아가지만, 사회가 억지로 규합하고 있는 것 아닌가? 그리고 그것이 왜 동의되고 있는가? 에 대한 생각들도 듭니다.

　인간은 1억 년이라는 시간을 상상하기에 너무나 짧은 삶을 살고, 생명의 다양성은 인간이 수집할 수 있는 데이터의 한도를 가뿐히 넘습니다. 단순히 각자 개채수를 유지하는 데에 가장 잘 진화해 왔겠지만, 그것을 떠나 저의 생각은 현재 인간의 타임라인은 모두가 같은 종의 가치를 추구하며 정착되기에 너무나 진화의 방향과 세대가 혼란스럽다는 것입니다. 그리고 이런 혼란스러운 주제를 이런 모임을 통해서 더 객관화하는 계기가 될 것으로 저는 기대합니다.

　우리는 충분히 다른데, 경계하지 않아야 할 이유에 대해서 늘 궁금했습니다. 내 본능적 혹은 배경적인 경험에 반하여 위험을 스스로 감수해 내는 행위인데, 이것을 국가 혹은 국제적으로 규제하고 있습니다. 공권력도 두렵지만 저는 저보다 더 어두운 피부의 사람에게 덜 관대하며 두려움을 느낀다는 점에서는 나도 사회적으로 아직도 많이 모자란 사람입니다. 인간은 가치를 매길 수 없는 존재라고 배우지만, 생물적으로 수량화되기에 부적합하지 또한 않다고 생각도 듭니다. 발칙한 생각들을 많이 꺼내봤지만 이 시간만큼만 딱 자유롭게 서로 경멸하지 않으며 너그럽게 이야기해보고 싶습니다.

명진 :

사람을 구분하는 주관적인 기준 중에는 생물학적 피부색을 고려하지는 않습니다. 피부색은 조상들로부터 물려받은 거고, 선택이 아닌 선천적으로 그렇게 분류된 거라 그 사람을 구분하는 기준으로 적용하면 안 된다고 생각합니다. 그래서 같은 사람이라고 하면 같은 종의 개념인 호모사피엔스라 생각합니다. 개, 고양이는 포유류 이런 것처럼요.

생각해 보면 외국계 회사에서 다닐 때 흑인들은 좀 무서운 존재이긴 했던 것 같습니다. 미드나 뉴스에 보면, 강도 마약 등 사회 이면의 뉴스를 다룰 때 종종 등장하는 것을 간접적으로 접하면서 나오는 다른 피부색을 가진 사람들에 대한 학습이 나도 모르는 사이에 머리에 새겨졌던 것일지도 모르겠습니다.

처음에는 다가가기 무서웠는데, 자꾸 부딪히고 하다 보니 그런 선입견이 많이 줄어들었습니다. 그런데, 이게 연애나 결혼과 같은 내 생활과 직접적으로 맞닿아 있는 거라면 이야기는 좀 다를 것 같습니다. 보편적으로 말하는 선진국에서는 덜 할 것 같지만, 우리나라에서의 흑인이나 동남아 혼혈로 대한민국에서 살아남는 건 그리 쉽지 않아 보이기 때문입니다.

윤정 :

인간은 이미 호모사피엔스라는 한 종으로 이루어져 있고, 저는 이에 이견이 전혀 없습니다. 과학적 사실일뿐더러 지금은 타 인종과 많은 교류가 있기 때문에 개인적인 거부감 또한 없습니다. 오히려 타 인종을 보게 되면 문득 환경과 진화, 적응, 그로 인해 나타나는 가시적 결과에 대한 잡념으로 빠지곤 하는 것 같습니다.

많은 나라의 사람들과 교류할 수 있는 기회가 많고, 우리나라 인구가 급격하게 감소하는 현재와 같은 트렌드 속에서 타 인종에 대한 배척은 전혀 도움이 되지 않는다고 생각합니다. '물고기는 존재하지 않는다'에서 데이비드 스타 조던의 스승으로 나온 아가시가 종의 기원에서도 언급되는데, 이 당시만 해도 계층의 사다리를 믿는 것이 주류였고 그와 찰스 다윈 모두 고등생물과 하등생물을 구분하여 언급하는 모습이 보입니다. 하지만 현재는 이 당시로부터 많은 시간이 흘렀습니다. 하나의 개체를 이루는 시스템이 복잡해지고, 세포 수가 늘어나면서 분업화되며 신경세포의 수가 늘어난 종들이 있긴 하지만 계층이 있다는 것은 받아들여지지 않습니다. 세포 하나로 따지면 단세포 생물의 세포가 우리의 체세포 보다 훨씬 고등할 수 있죠. 또한 우리는 우생학으로 인해 전쟁이 일어날 수 있다는 것을 알고 있습니다. 그저 종의 분류이고 하나의 과학적, 이론적 의견과 관점일 수 있지만 이 끝에 홀로코스트라는 것이 존재할 수 있다는 것은 비약일 수 있으나 인류의 불행을 막기 위한 철저한 복기일 지도 모릅니다. 인종적 차이에 의한 우월성을 따지고, 넓게는 타 종들과 비교해서 인간종의 우월함을 강조하는 것은 지양해야 한다고 생각합니다.

연경 :

인간은 인간끼리 하나의 종이라고 생각을 합니다. 다만 피부 킬러에 따라 인종을 나누는 것은 가령 래브라도 리트리버를 흰색, 황색, 검은색으로 나누어 보는 것과 비슷하게 여겨지는 정도인 것 같습니다. 친구 중에 MBTI N성향이 강한 친구에게 이 질문을 한다면 다양한 인종들로 구성된 아이돌 그룹을 만들고 싶은데 어떤 방식으로 할지, 어떤 콘셉트로 데뷔하면 좋을지 등 인종에 크게 구애받지 않고 재미있는 상상을 해볼 수 있을 것 같습니다. 인간의 피부색은 지역의 기후나 멜라닌 색소 등에 의해 나타나는 하나의 특징이며, 인간끼리 종을 구분할 수 있는 척도는 아니라고 생각합니다.

다만 문화적으로 학습을 했거나 편견이 이미 자리하고 있어서인지 몇 안 되는 해외여행 경험 중에서 밤에 흑인이 후드를 뒤집어쓰고 뒤를 따라올 때 무섭다는 감정이 먼저 들었습니다. 사실 실제로 흑인에게 해코지당한 적도 없을뿐더러 오히려 학창 시절에 만났던 원어민 선생님들의 대부분이 흑인이었는데 즐거운 기억으로 남아있습니다. 아마도, 익숙하지 않은 장소에서 평소에 많이 접하지 못한 피부색을 가진 낯선 사람이기에 두려운 것이 편견으로 인해 '흑인'에 방점이 찍혀버린 것 아닐까 생각이 듭니다.

흑인뿐 아니라 백인에게도 두려움이 느껴질 때가 종종 있습니다. 특히 파란색의 눈동자를 가진 사람은 눈을 마주치기가 어려운데, 이 또한 평소에 검은색, 갈색의 눈동자가 홍채와 크게 구분되어 보이지 않은 사람들과 함께 하나가 홍채가 두드러져 보이는 특성이 낯설게 다가오기 때문인 것 같습니다.

피부색이 다른 사람과의 관계에서 나와 잘 맞고 가치관이 비슷한 사람이라고 여겨지면 인종에 관계없이 서로의 삶에 깊이 들어가는 친밀한 관계를 맺을 수 있을 것 같습니다. 피부색은 그저 피부색일 뿐이니까요. 다만 애인으로 관계가 이어진다면 저는 개인적으로 타인의 시선에 많이 신경 쓰고 시선이 끌리는 것을 싫어하고 무서워하기 때문에 이 부분에서는 한국인과의 연애에서보다 더 감정적으로 소모되는 부분이 클 것 같습니다.

은수 :

런던에서 화장실에 갇힌 적이 있었는데, 흑인 5명이 들어와서 처음엔 좀 무서웠던 기억이 납니다. 하지만 오히려 스위트하게 저를 구출해 주었는데, 그 이후로 흑인에 대한 두려움이 많이 사라지고 좋은 사람들이라는 것을 알게 되었습니다. 흑인은 서양권에서 차별을 받았기에, 먼저 본인이 안전함을 표현하고 따뜻하고 적극적으로 사람들에게 다가가는 것이 아닐까 싶은 부분도 있습니다.

개인적으로는 사람을 소셜 수준에 따라 가족-친구-관심 없는 사람 정도로만 구분하고 인종으로 구분하지는 않는다. 이러한 교육을 현대사회에서 많이 시키는 이유는 인종차별주의로 인해 인류가 너무 많은 아픔을 겪었기 때문에 그 스탠더드를 미리 많이 올려두려는 이유도 있다고 생각합니다.

예를 들어 우리가 민주화 과정을 겪을 때, 민주화를 겪으면서(무고한 사람을 많이 잡아가서) 형벌주의를 많이 낮춘 거라고 저는 생각하는 부분이 있는데, 인류사 전체로 보면 인종주의로 너무 많은 사람을 죽여왔기 때문에, 극단적인 수준으로 인종차별을 하지 않도록 교육을 해놔야 우생학적 범죄를 일으키지 않을 거라는 생각이 듭니다.

뎁씨의 질문들 (계속)

Q. 사회적 현상인 비만도 진화의 영역으로 볼 수 있는가?

최근에 저는 회사에서 노인분들이 사용하시는 건강관리수첩 앱을 개발하고 있습니다. 단순히 혈당, 이상지혈증, 혈압, 비만(수치적 BMI)을 기록하고 복약지도를 하는 앱인데, 저는 이 기능들 중 비만이라는 기능에 문득 눈이 가고 있습니다.

지난번 모임에서 저에게 큰 인상을 주었던 표현은 '인구 감소의 원인은 먹이가 부족하기 때문이 아닐까'라는 것입니다. 당연히 쌀이 없어서라는 이야기가 아니고 인간의 욕구충족을 위한 다양한 요소를 하나의 먹이로 재정의 한 점이었습니다. 저는 도리어 반대로 진짜 영양학적인 '먹이'에 대해서 이야기해보고자 합니다.

한 세대에서도 바로 외형적 변이를 일으킬 수 있는 대표적 현상인 비만은 현대인들의 많은 관심사입니다. 저 또한 비만에서 자유롭지 못하고 지금은 일부 감량에는 성공했지만 몇 달 전에는 인생 최대의 체지방율과 체중달성 업적을 달성했습니다. 그것은 주체할 수 없을 만큼 원래의 내 특성인 마냥 더 고도비만의 상태로 나아가고 있었습니다. 이것은 활동에 비해 먹이가 풍부하다는 점인데, 이 먹이가 풍부하다는 점은 현생의 생존에는 유의미한데 사실 요즘 부자들(사회적 먹이가 풍부한) 중에 비만인 분들을 찾아보기가 어렵습니다. 뭔가 아이러니하기도 합니다.

"나는 한 나라의 모든 서식 생물들을 급격히, 동시적으로, 혹은 동일한 정도로 변화하게 만드는 확고한 발달의 법칙이 있다고 생각지 않는다 – 10장, p433"

저는 이 문장에 무언가 반론적인 생각이 들었습니다. 비만은 현재 확실하게 한 세대만에 '지리적 특성' 과 연관되어 있습니다.

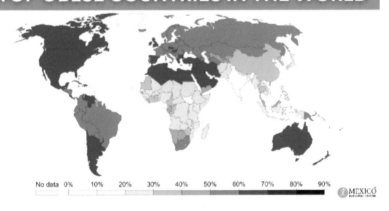

https://mexicobariatriccenter.com/most-obese-countries-in-the-world/

유전되지 않더라도, 과학발전으로 인한 인위적 환경이 미시적으로 혹은 거시적인 규모의 동일한 수준의 진화단계를 유의미하게 정도로 구현할 수 있지 않을까? DNA/생물학적으로는 지식이 짧아 잘 모르겠지만, 선진국들을 기준으로 비만개채들이 눈에 띄게 증가한 것은 사실입니다. 물론 여기서 왜 적도인근의 국가들은 선진국이 되지 못하는가 or 비만하지 않는가의 문제는 여기서 다루지는 않겠습니다.

비만은 환경 변화, 유전적 요소, 생활습관 등 다양한 원인에 기인하며, 다원은 종 내에서 서로 다른 특성이 적응력에 따라 존속여부를 결정한다고 주장했습니다. 이를 비유적으로 적용하면 비만과 관련된 특성은 환경석, 유선적, 생활습관적 측면에서 다양하게 나타날 수 있으며, 이러한 특성이 적응에 부합할 경우 하나의 종의 특성으로서 존속할 수 있지 않겠습니까?

자연선택의 관점에서 비만과 관련된 유전자들의 전파는 '특정 환경'에서 더 효과적으로 살아남고 번식했어야 합니다. 하지만 비만(음식과잉과 노동문화 등)은 인간의 한 세대만에 그 유효한 특성을 발현했습니다. 주변에 아무리 먹어도 찌지 않는 사람들이 있기도 하고, 최근에는 비만 유전인자가 따로 있다고 합니다. 그 비만 인자가 존속되려면 특정한 환경에서 우열을 점했다는 점이 있는데, 그 까닭을 쉬이 유추하기가 어렵습니다. 여러분의 생각은 어떠합니까?

Q. 한 세대 만에 비만현상이 지구를 뒤덮는데는 어떤 이전 세대의 환경이 영향을 미쳤을 것 같습니까? 비만이 성적 매력이나 파트너 선택에서 어떤 역할이 있었을까요? 현재에는 몹시 불리한(?) 인자이지 않습니까.

은수 :

비만지도가 암지도와 유사한 부분이 있습니다. 선진국으로 갈수록 비만도가 증가하고 췌장암이 잘 발생합니다, 그전 단계는 유방암과 전립선암 같은 암들이 잘 발생합니다. (한국이랑 중국 남쪽은 된장을 많이 먹기 때문에 된장 속 곰팡이가 위암을 유발하는데 이런 지리적, 식이적 특이성은 예외로 합니다)

비만이 새로운 우성 유전자가 되었다기보다는 인류의 건강을 위협하는 하나의 위협이라고 생각합니다. 원래 인류는 음식이 풍부하지 못한 환경 속에 살아왔기 때문에 음식을 지방으로 잘 전환하는, 비만 유전자를 보유하는 것이, 생존에 유리했을 것입니다. 하지만 현대사회는 오히려 그 반대 상황이 되었고, 이 위협을 잘 극복해 내도록 도움을 주는 유전자를 가진 인류가 살아남을 것입니다.

연경 :

상대적으로 비만인 경우에 식량이 없어도 몸의 지방을 태워서 에너지원으로 사용할 수 있기 때문에 마른 사람보다 생존에 유리하지 않았을까 하는 생각이 듭니다.

또 과거에는 먹을 것이 많이 부족해서 비만이 되기 어려웠기 때문에 비만은 부유함의 특징이었을 때가 있었다고 합니다. 비만인자가 더 긍정적으로 여겨지고, 상류층에 많았던 비만이 그 유전자를 많이 남길 수 있었던 것이 아닐까 합니다.

반면 현대에 와서는 비만이 건강에 해롭다는 것이 알려지고, '뚱뚱한 사람은 게으를 것이다'라는 편견이 자리 잡게 된 이후 더 이상 비만한 사람들이 긍정적인 이미지를 가지지 못하게 되었습니다. 특히나 지금은 식량이 부족하지 않음을 넘어서 풍족하기 때문에 에너지를 미리 축적시켜 놓을 필요도 없어져 비만에 대해 과거와는 다른 시선으로 볼 수밖에 없을 것 같습니다.

요즘 유행하는 '마라탕후루'와 같이 자극적이고 맛있는 음식은 필수적인 에너지 이외에 잉여 에너지를 축적하기 때문에 건강하지 않은 방식으로 살이 찌게 되고, 건강을 해치기까지 하기에 비만이 더 이상 긍정적 이미지를 가질 수 없게 된 것 같습니다.

윤정 :

인간은 항상 부족한 환경에서 살아왔습니다. 하지만 현재는 최소한 음식이 넘쳐나는 시대에 살고 있죠. 고등학교 때 생물을 공부하면서 신기했던 부분이 있습니다. 혈당을 조절하는 호르몬에서 혈당을 낮추는 호르몬은 인슐린 하나인 것에 비해 높이는 호르몬은 3가지나 되었다는 것입니다.

이러한 사실은 저에게 인간이 그저 진화의 산물일 뿐이라는 점을 상기시켜 줍니다. 사회적, 문화적으로 혁명을 일으키고 발전하면서 이성적인 기반 위에 살게 된 것이 까마득해 보이면서도 호르몬의 완전한 비균형을 보면서 궁극에는 DNA에 박힌 본능을 극복할 수 없을 것이라고 생각하게 됩니다. 혈당을 낮추는 일이 얼마나 드문 일이었으면 인슐린 하나로 살아남게 되었을까요. 인슐린을 생성하는 과정에서 문제가 생겨도, 인슐린 수용체에 문제가 생겨도 다른 방도가 전혀 없어 당뇨라는 큰 질병을 얻게 되는 것이 인간입니다.

다시 질문으로 돌아가자면, 인류가 살아온 환경이 최근 들어 급격하게 변했기 때문에 '비만'이 하나의 현상으로 나타난 것이라고 생각합니다. 이러한 변화에는 생명체가 적응하지 못하는 것이 정상이죠. 최근 기후 위기로 많은 종들이 멸종의 길을 걷듯, 인류도 똑같이 '비정상적으로 먹이가 많아진 환경'에 적응하지 못하는 것입니다.

사실 일반적인 개체들에게 이 문제를 적용하자면, 먹이가 많아지고 섭취량이 늘어난 이 환경에 적응하지 못하고 비만이 되어 각종 병이 생기는 개체들은 자손을 낳지 못하고, 이러한 환경에 타격을 덜 받은 개체들만 다음 세대를 생성하여 점점 비만인 인류의 비율이 줄어들 것이라고 생각합니다. (요즘 비만유전자에 대한 연구도 활발히 진행되는 것을 보니 실제로 그런 유전자가 있고 이 유전자의 대가 끊긴다면 가능한 시나리오 아닐까요?)

하지만 현재는 의학의 발달로 각종 병에 대한 해결책이 존재하기 때문에 비만이 잘 되는 '형질'은 후대에 전달될 것입니다. 그리고 그로 인해 새로운 종이 탄생하지는 않을 것 같습니다. 새로운 종으로 정의가 되려면 현재 인류랑 생식이 불가능한 종이 생긴다는 것인데, 그러기엔 쉽지 않아 보입니다.

새로운 종이 탄생하기 위해서는 하나의 종이 아예 교류가 없는 고립된 환경에서 각각 생존해야 한다고 합니다. 각각의 환경에서 나름 적응하면서 계속 세대가 이어지고 돌연변이가 쌓여 다시 만났을 때 생식이 이루어지지 않는 정도의 차이가 만들어지면 다른 종이라고 할 수 있는 것입니다. 아마 먼

훗날 화성에서 정착한 종이 지구의 호모사피엔스와 교류가
오랜 세월없게 된다면, 가능성이 있지 않을까요?

명진의 질문들

11장 : 지리적 분포

다윈은 멀리 떨어진 지역에 같은 종류의 포유류가 있는 것은 연속성을 가지는 대륙의 변화, 새의 발에 묻은 흙, 빙하기를 거치면서 시작된 포유류의 이주와 같은 현상으로 그 지역에 머물게 되었다거나 혹은 그 지역에 맞게 자연 선택에 의해 대물림되었기 때문이라고 주장하며 창조설에 대한 반박에 대해 이전과는 다른 강한 어투로 자신의 의견을 주장하였다.

"우리는 박물학자들이 중요하게 논의해 온 질문, 즉 종들이 지구 표면의 한 지점에서 창조되었는가 아니면 여러 지점에서 창조되었는가 하는 질문에 도달하게 된다. 어떻게 동일한 종이 어떤 한 지점에서 오늘날 살고 있는 여러 군데의 고립된 먼 지역들로 이주할 수 있었는가 하는 것을 이해하는 데 있어 대단히 어려운 점이 많다는 것은 의심의 여지가 없다. (p.480)"

" 분리된 바다에 사는 유사성이 없는 생물들의 관계에 대한 이러한 사례들, 뿐만 아니라 북아메리카와 유럽의 온대 지역에 사는 과거와 현재의 서식 생물들에 대한 사례는 이제, 창조 가설로는 설명이 불가능하다.(p.504)"

다른 나라 사람들과 협업했을 때, 흔히 말하는 선진국과 개발도상국 노동자들의 일하는 태도가 달랐던 것을 경험한 적이 있다. 전자의 경우, 보통 독일, 이탈리아 등 EU국가들로 일에 대한 참여도와 performance가 그만큼 좋았던 반면 일보다는 개인적인 성향이 강해서 아쉬웠고, 후자의 경우는 태국, 필리핀 등 동남아시아 국가들로 원하는 스케줄에 대부분 맞출 수 있어 일하는 입장에서는 좋았으나 낮잠 시간의 보장, 소극적인 태도 등이 아쉬웠던 것으로 기억한다.

이런 차이는 그들의 지리적 특성 혹은 역사적 배경 등에 따라 달라진 것일까? 아니면 개인의 편견에 의해 비친 걸까? (본 질문은 특정 인종 혹은 국가에 대해 부정적인 점을 논하려는 의도가 아닌, 개인적인 경험을 공유하여 다윈의 숨결을 좀 더 deep 하게 느껴보려 함이니 오해 없으시길 바랍니다.)

Q. 지리적 특성에 의한 민족특성이, 현대 산업의 업무태도나 문화에 대해서 다른 특징들을 발현하는데, 진화에 산물이라고 할 수 있을까?

텝씨 :

어릴 때 인도네시아라는 나라로 이민을 갔습니다. 그래서 그곳 현지인들과 다양한 교류를 하고 또 그들의 업무 하는, 노동하는 방식들을 굉장히 밀접하게 보았습니다. 한국인 관리자들은 이를 '한번 삽 파고 놀고, 한번 삽 파고 놀고'라고 표현해 냈습니다.

인도네시아에는 농끄롱' Nongkrong' 이라는 문화가 있는데 한국으로 치면 '멍 때린다' 라는 문화가 있습니다. 오후쯤 오토바이나 작업하는 공간의 난간? 같은 곳에 앉아서 멍하니 허공을 보면서 담배를 태우거나 하는 시간을 갖는 건데요. 이것을 우리가 볼 때는 어떻게든 커뮤니케이션이 끊이지 않아야 하는 정서와 달리 그냥 같이 있어도 각자 멍을 때리는 그런 문화가 있습니다.

한국사람들(산업시대를 앞서간 일부 선진국가들) 입장에서 노동을 쉬엄쉬엄 하고, 또 효율도 안 나오는 그분들은 당연히 게을러 빠진 민족이다. 천성이 그렇다라고 여겨집니다. 하지만 그런 방식으로는 그분들과 같이 일을 할 수 없습니다. 그래서 그분들이 실제 노동을 할 수 있는 동기부여나 환경 등을 조성하는 것이 좋은 관리자의 역량이라고 말씀하시곤 했습니다. 게으름이라는 것은 산업화된 노동환경에 끼워

맞췄을 때 게으름이라는 것이지 그들의 생존패턴과는 당연히 무관하고 어울리지 않을 수 있습니다.

위는 단지 그분들이 실제로 어떤 모습으로 살아가고 있는지에 대한 이야기고, 제가 실제로 동남아의 사람들이 왜 그렇게 '게으르게' 사는지에 대한 진화론적 이유를 나름 추정하여 본다면, 지금은 물론 산업화되어서 도시가 되어있지만 동남아는 열대 우림 지역입니다. 즉 야생의 맹수와 자연환경이 수북하고 열대우림의 특성상 식물들이 몹시 빠르게 자라납니다. 즉 농경문화보다는 수렵채집의 삶을 살았던 것입니다. 매일 동일한 일과를 하여야 할 필요가 없었고, 돌아다니며 필요한 양을 채집하거나 사냥하여 먹었기 때문에.

그리고 야간에 민첩하게 움직여야 하기 때문에, 낮은 에너지 축적의 시간이 아니었을까?라고 생각합니다. 열대우림의 낮은 몹시 덥고 습합니다. 가만히 있어도 진이 빠진다 라는 표현을 많이 씁니다. 이런 낮에 에너지를 소비했던 종들은 결국 필요한 때 에너지를 사용해야 하는 생존 경쟁에 밀리지 않았을까요? 전 세계적으로 '같다'라고 하지만 사실 종만 같을 뿐(같은 게 맞나 싶기도 하고), 모든 특성이 같을 순 없습니다.

명진 :

기후 관련 사항은 뎁씨님께서 상세히 말씀해 주셔서 생략해도 좋을 것 같습니다. 역사적인 측면에서 말씀드리고 싶은데, 선진국이라 말하는 유럽이나 미국 등은 제국주의 시대의 잔재물로서의 지배적인 사고를, 동남아시아는 피지배적인 사고의 입장으로서 그런 잔재들이 남아있지 않았나 싶습니다.

예를 들어 회의를 하거나 의견을 피력해야 하는 상황에서 소극적인 태도를 보이는 경향이 있었는데, 그것에 대해서 반박을 할 수 있었을 텐데도, 강하게 나가지 못하고 수긍하는 태도를 봤던 적이 더러 있기 때문입니다.

윤정 :

사실 개인적으로 타 인종과 교류가 많지 않은 삶을 살아왔기에 다른 분들의 의견을 듣고자 했습니다. 어렴풋이 단순한 게으름이 이유는 아닐 것이라고 생각하였습니다. 하지만 뎁씨님의 답변을 듣고 계절성과 식물 분포가 저위도 지역과 고위도 지역에서 많은 차이가 있다는 것을 알게 되었습니다. 한국은 연교차가 60도에 달하는 극단적인 환경을 가지고 있고, 그리 넓지 않은 평야에 호랑이와 같은 맹수가 있었으며, 산이 많아 환경에 예민하게 반응해야 살아남을 수 있었을 것입니다. 계절에 대비하지 않으면 바로 생존에 위협을 느꼈겠죠. 이러한 환경에서 필수적이었던 형질이 현대 산업에서 요구하는 근면성실하다는 면과 우연히 적합했다는 것에 동의합니다.

연경 :

기후의 차이에 원인이 있지 않을까 생각을 했습니다. 미국의 따뜻한 기후인 지역에서 태어난 친구가 있는데, 그 지역에서 온 다른 사람들과 비슷하게 여유롭고 느긋한 특징을 가지고 있었습니다. 1년 중 따뜻한 날이 많아서인지, 그곳의 사람들은 여유롭고, 느긋하고, 걱정을 많이 하지 않으면서 무난무난하게 자신의 삶을 살아가는 모습이 많았습니다. 동남아의 경우와는 조금 다를 수 있지만, 동남아 또한 덥고 자연환경에서 얻을 수 있는 자원이 많다 보니 그렇지 않은 곳의 사람들보다 열심히 일해야 하고 부지런해야 한다는 강박이 없을 것 같습니다. 하지만 현대산업의 입장에서 보면 그 사람들이 급하지 않고 느긋하게 일하는 것처럼 보이지 않았을까 싶습니다.

은수 :

에너지 효율 관점: 생물은 에너지를 가장 효율적으로 사용하는 방식으로 진화합니다. 동남아는 낮에는 너무 덥고, 자원

이 풍부하고, 에너지가 풍부한 환경이므로, 낮에 활동을 줄이는 방식으로 생활양식이 바뀌어 갔을 것입니다.

식문화 관점: 동남아는 쌀농사를 지었고, 이기작, 이모작이 가능해서 탄수화물 생산량이 매우 높았습니다. 그러므로 생존 (먹이)에 대한 부담감이 덜했을 것입니다. 농사를 잘 지어야 했고, 에너지의 소모. 먹을 것이 풍부했다.

역사적 관점: 식민지나 공산주의 영향을 받아서, 주도적으로 돈을 벌겠어라는 '근면한' 마인드가 없지 않았을까 싶기도 합니다.

윤정의 질문들

여전히 만연체는 적응되지 않았지만 아주 후반부에 가서는 정성을 들여 번역을 했는지, 해당 파트를 맡은 분이 번역에 능숙했는지, 혹은 다윈이 간결하게 적은 것인지는 모르겠으나 조금은 읽기 수월했다. 어쩌면 같은 주장이 계속 반복되어 지루한 감이 없지 않았기에 익숙함이라는 자기 합리화를 이용하여 책장을 쉽게 넘긴 것인지도 모른다.

어쨌든 그는 창조설을 정면으로 반박했고 마지막 장에서는 꽤 강한 어조로 비판했으며 본인이 닦은 진화론의 기틀 위에 꽃 필 학문적인 아름다움을 예상해 보았다. 그의 강한 주장은 오롯이 학문적 아쉬움에 기반한 것이라고 생각된다.

이를 읽는 21세기 2024년을 막 살아가기 시작한 독자 한 명은 중간중간 다른 생각을 하지 않을 수 없었다. 진화론 태동의 순간이며 엄청난 패러다임의 변화를 야기한 책이지만 그러한 그의 노고 덕분에 시시하게 읽어버린 독자로서. 이것이 바로 그가 원하던 방향으로 흘러갔다는 방증이 아닐까.

읽으면서 들었던 가장 큰 잡생각은 과학적인 공감대, 상식이 존재한다는 것이 얼마나 중요한 것인가 하는 것이다. 다윈은 지구적 관점에서, 또 생명 전체의 관점에서 인간이 얼마나 찰나를 살고 있는지, 지질학적 자료가 얼마나 부족하며 이 공백들의 규모가 얼마나 대단한지, 화석은 자연스러운 과정으로 만들어지는 것이 아니라 엄청난 우연이 만나야 생기는 얼마나 놀라운 것인지, 심지어는 1억 년이라는 시간이 얼마나 긴 시간인지를 설명하기 위해 많은 분량을 할애했다.

지금 현재 우리에게 당연한 이 사실을 설명하기 위해 해당 내용을 계속해서 상기시킨다. 이 얼마나 아까운 종이의 낭비인가. 하지만 당시에는 필수적이었으며 이 '사실'에 관해서도 설득과 동의가 필요했다는 것이다.

현재 '지성인'으로 일컬어지는 많은 교수님들, 박사님들이 커뮤니케이터로서 유튜브 등에서 활발하게 활동하는 것을 볼 수 있다. 거칠게 말하자면 다윈이 이뤄낸 것을 하기 위함이다. 과학적 사실과 사회적 개념, 이론에 대한 대중의 공감을 얻어내고 그 다음 단계를 논의하기 위함이다. 더 이상 사실에 가까운 개념을 설명하기 위해 종이와 에너지를 쓰지 않고 실질적으로 필요한 문제를 해결하기 위한 토론의 광장을 만들고자, 그것이 적절한 지식과 상식 위에서 옳은 방향으로 나아갈 수 있도록 하기 위함이다.

책을 읽어야 하는 이유, 변화하는 사회에 관심을 가지고 끊임없이 배워야 하는 이유 중 하나가 위 같은 내용이 될 수 있다고 생각한다. 정말 필요한 논의에 내가 참여할 수 있도록, 나의 실질적인 고민을 해결하기 위한 방안을 스스로 찾아낼 수 있도록 기초적인 토대를 꾸준히 가꿔야 한다. 지루한 이야기를 650페이지 읽으면서 지속적으로 든 감정은 아이러니하게도 겸허함이었다. 2024년은 겸허함을 바탕으로 좀더 배울 수 있는 한 해가 되기를 바란다.

"이종 교배에서나 그 잡종에서나, 어느 정도의 불임성은 전반적으로 나타나는 결과라는 결론을 내릴 수 있다. 그렇지만 현재의 지식 상태에서는, 그것을 절대적으로 나타나는 보편적인 현상으로 여길 수는 없다. p. 360"

Q. 잡종이 경우에 따라서 생식 능력이 더 좋고 뛰어나다면, 인간이 가지고 있는 '순종'(혹은 '순혈')에 대한 열망은 어디서 온 것일까요? 동서양을 막론하고 이 열망이 존재했던 것 같은데(어찌 보면 현재에도), 어떻게 설명할 수 있을까요?

뎁씨 :

'나'의 범위는 어디부터 어디까지일까? 가령 장기 이식을 받거나 해서 간이나 허파 한쪽을 이식받았다면, 나는 어디까지가 나일까? 나는 100%가 될 수 있을까? 이런 의문에서 시작한다면 사실 순도 100%의 나는 원래 없었는지도 모르겠습니다. 그저 100%에 최대한 가깝고 싶어 할 뿐.

어떤 강연에서 인간이 영생하는 방법은 번식이라고 하셨습니다. 나의 유전자를 남기는 것이니까. 기억은 보존될 수는 없더라도 육체는 보존하는 하나의 방법이라고. 그런 방향에서 생각해 봤을 때 영생에 가까우려면 나의 유전자가 현재 나의 100%에 가깝게 전달되어야 하고, 그러려면 이론적으로 나와 가장 가까운 순혈인자들과의 번식이 가장 합리적이지 않을까? 순혈주의는 그런 생각이 기저에 있는 것 아닐까?라는 생각이 들었습니다.

은수 :

심리적 요인: 제가 태양왕과 같은 절대권력자라면 이런 생각이 들 것 같습니다. '나처럼 고귀한 존재는 고귀한 존재랑만 결혼할 수 있어. 나 만큼 고귀한 존재는 왕족인 내 친지뿐이야' '나는 태양의 자손인데, 기형을 낳겠는가! 일반인들은 그럴 수 있지만 나는 아닐 것이다'

정치적 요인: 일반 인간과 결혼을 계속하다 보면, 그 피가 희석되므로, 정치적 입지가 줄어들 수 있다고 생각합니다. 왕위 정당성을 유지하기 힘들어질 수 있습니다.

경제적 요인: 왕권 초기에는 외척을 늘려서 자기편을 늘려야 하지만, 왕권이 안정이 되면 외척에게 자신의 몫을 떼주고 싶지 않을 것입니다.

* 한 명을 죽이면 살인자이지만, 천명을 죽이면 왕이 된다.

추가적으로 자신과 비슷한 유형의 사람에게 끌리는 이유는 어쨌든 수정이 되려면 종이 같아야 하므로, 본능적으로 비슷한 외형을 선호하는 게 아닐까 싶습니다.

연경 :

역사적으로 우리가 다른 민족과 결혼을 한다는 것은 우리의 **의지라기보다는** 다른 나라, 즉 주변의 강대국에 의해 이루어지는 경우가 많아서 그런 것이 아닐까 생각합니다. 침략을 많이 당했던 만큼 다른 나라의 신하 혹은 사위 국가가 되는 결혼을 하는 것보다 내부에서 하는 것이 더 안전하다고 생각했을 수 있을 것 같아요. 그런 인식이 문화적으로 이어져 내려와서 현재도 문제가 되는 다문화 가정에 대한 편견이 생기는 데 영향을 주지 않았을까 싶기도 합니다.

윤정 :

　인간은 DNA적으로 먼 이성의 체취에 호감을 느낀다고 합니다. 면역에서 부모의 면역 DNA가 다를수록 자손의 면역이 더 높아지기 때문이라고 합니다. 하지만 동성 친구로는 DNA가 가까운 사람을 선호한다고 합니다. 관련해서 여러 기사와 글이 있어 찾아보는데 참 신기했습니다. 하지만 순종을 추구했던 것은 이와 전혀 반대되는 현상입니다. 본인의 것을 지키기 위함이었을까요. 역사적인 관점에서 이 문제에 대한 발단을 찾아봐야 할 것 같습니다.

연경의 질문들

종의 기원 후반부를 읽으면서는 앞부분보다 조금이나마 수월하지 않았나 생각이 듭니다. 아직도 장황한 문장을 이해하는 데는 시간이 좀 걸리지만요. 지난 시간까지는 책을 읽으면서 중구난방으로 생각을 해봤는데 이번에는 인간에 중심을 맞추어 생각이 계속 들었습니다. 아마도 저출산이나 먹이 부족 등의 인간의 미래에 관련된 이야기가 즐겁고 인상 깊었기 때문인 것 같습니다.

우리가 현재 동물원 등과 같은 곳에서 멸종위기에 빠진 종들을 지키고 있다는 것을 생각하면, 인간도 언젠가는 결국 멸종위기종이 되어 희귀한 생명체가 되지 않을까 하는 생각이 들기도 했습니다. 이러한 생각을 바탕으로 다음과 같은 세 가지 질문에 대하여 함께 이야기 나누고 싶습니다:)

Q. [8장: 불임성]은 종의 번식을 위해 짝짓기를 하는 동물의 본능에 장애가 되는 요소입니다. 그렇다면 인간에게 있어 종의 번식을 방해하는 장애요소는 무엇일까요? 또 자신에게 방해가 되는 고치고 싶은 습관이나 특징이 있을까요?

그 특징은 자신의 어떠한 특징, 부분으로 인해 방해요소로 인식되나요?

이 부분을 읽을 당시에 스스로의 싫은 모습에 초점을 맞춰 두고 있었는지 나의 못난 부분을 굳이 굳이 어떤 건지 찾아보려는 마음에 지배당했습니다.

제가 생각하는 저의 가장 큰 단점이자 앞으로의 삶에 방해요소가 될 만한 점은 '꽉 막힘', 융통성이 부족한 태도입니다. 학창 시절 이러저러 다양한 이유로 '흥선대원군'이라는 별명이 생길 정도로 저는 새로운 것을 받아들이는 것에 굉장히 소심하고 어떤 때는 적대적인 것 같기도 합니다. 어떤 결심이나 계획이 생기면 속도가 느릴지언정 그 길을 벗어나는 것도 굉장히 힘들기도 하고요.

'10년이면 강산이 변한다'라는 말은 지금에 와서는 크게 와닿지 않는 말인 것 같습니다. 1년에 한 번씩 새로운 기능이 탑재된 스마트폰이 나오고, 다양한 문화들이 생겼다 사라지는 주기가 짧기도 하니까요. 이러한 사회 변화의 속도는 저 같은 '흥선대원군' 같은 특징을 가진 사람들에게 큰 고통이 아닐까 싶습니다.

미디어나 유행에 민감하지 않은 사람이라 다른 모임에서 몇 살 어리지 않은 사람들에게 "이걸 모르세요?"라는 말을 들으니 시대에 뒤떨어져있다는 생각이 퍼뜩 들었습니다. 평소에는 유행에 따라가지 못해도 취향이 아닐 뿐이라고 생각했었는데 모임에서 대다수의 사람이 알고 있는데 혼자 알지 못한다는 것을 경험하게 되니 고민이 되기 시작했습니다.

또래와 비슷한 공감대를 형성하지 못하고 있기도 하면서 시대의 흐름에 발맞춰가지 못하고 있는데 나의 유전자를 후대까지 남길 수 있을지, 상황에 적응하는 능력이 부족한 내가 하루가 다르게 발전하는 요즘 시대를 잘 살 수 있을까 하는 생각이 들어 이런 질문이 떠올랐습니다.

뎁씨 :

미디어를 통한 인식의 지배가 하나의 방해 요소가 되지 않나 생각해 보는데요, 꼭 무슨 대륙이 갈라지고 먹이나 기후가 변화해야만 생식에 문제가 생기는 것은 아니라 생각합니다. 집단이 공통으로 인식할 수 있는 현상을 경험하면 같은 효과를 내지 않는가 생각하는데요, 미디어를 통해 결혼과 출산에 대한 불안감의 증식, 타인은 더 좋은 것을 누리고 사는 것을 보게 되며 경제적 비교를 통한 양극화의 밀접한 체감 등으로 실제 꽤 많은 젊은 인구들의 출산율이 감소하고 있습니다.

그런데 또 경제력을 떠나서 할 사람들은 또 잘하는 것을 보면 '**미디어에 대한 멘탈내성**' 이 강한 인자가 또 있기도 하고, 그것이 우세종으로 번성하면 또 나중에는 미디어 자체의 힘이 줄어들어 미디어의 시대가 막을 내리지 않을까? 하는 생각도 해보게 됩니다.

윤정 :

출생률이라는 하나의 수치가 객관적으로 다른 국가와 눈에 띄는 차이를 보이는 것은 개인의 문제로 다뤄질 일이 아니라고 생각합니다. 각자가 본인이 잘못해서라고 하기에는 너무 큰 사회적 현상이기 때문에 누군가의 탓을 하기보다는 원인을 찾아서 해결하는 게 우선입니다. 저는 이러한 사회적 문제들이 적절한 방향으로 공론화되고 사회 구성원들의 공감대가 형성이 된다면 옳은 방향으로 나아갈 수 있을 것이라고 생각합니다.

현재 인류, 특히 우리나라의 현실에서 번식의 방해물은 시스템에 있다고 생각합니다. 아이 부모를 배려해주지 못하고 앞으로 달려가기만 하는 사회가 잘못되었다고 생각합니다. 현재 2030 세대는 양육에 대해 많은 것을 알고 있습니다. 어떤 것이 좋은 것인지, 아이에게 어떻게 해야 최선을 다하는 것인지. 의식주가 어느 정도 해결 된 이 시대에서 추가로 어떤 것을 채워줘야 하는지 너무 잘 알고 있지만 이 사회에서 실현이 불가능한 것입니다.

앞서 언급한 것은 '시간'에 대한 문제라면 당연히 '경제'의 문제도 있습니다. 평균적인 소득 수준은 올라가지만 소득의 격차가 매우 심하게 벌어지면서 아래에 있는 사람들에게 현재의 유행과 평균적인 삶은 다른 세상 이야기가 됩니다. 모르면 다행이지만 SNS등의 발달로 너무 많이 접하게 되죠. 이 상황에 다음 세대를 생각하는 게 가능한 것인가라는 생각이 듭니다. 그것도 본인이 전적으로 책임져야 하는 생명에 대해서요.

질문은 '번식에 있어서 불리한 것이 있다면 무엇인가요' 였지만 매번 출생률이 업데이트될 때마다 모든 언론이 주목하고 다양한 면에서 원인을 찾으려고 하는 것처럼, 하나의 사회적 성적표이기에 모든 데이터와 분석, 의견이 답이 될 수 있다고 생각합니다.

우리는 여기서 한 발 더 나아가서 본인이 속한 집단이 아닌 타 집단의 이야기도 듣고 공감할 수 있는 성숙함을 가져야 한다는 교훈을 얻을 수 있습니다. 출생률은 곤두박질이고 GDP 성장률은 1% 대가 예상되며 일본의 잃어버린 30년을 그대로 답습하는 듯 한, 비관적인 뉴스가 가득하지만 우리는 이 사회의 구성원으로 살아가야 합니다. 급격한 발전이 사회적 공감대를 무너뜨린 하나의 원인으로 여겨지고 있지만 그럼에도 희망을 찾아가기 위해 각자의 중심을 가지고 의식적으로라도 사회의 다양한 의견에 귀 기울여야 합니다.

은수 :

적응이 느린 것은 내 아이덴티티를 더 잘 지킨다고도 볼 수 있다고 생각합니다.

결혼은, 결혼 상대방이 내 울타리를 부수고 들어와서 내 반쪽이 되는 것이라 생각합니다. 10년 넘게 자취하다 보니, 누군가와 같이 쭉 산다?라는 게 잘 와닿지 않고 잘 될지 솔직히 잘 모르겠습니다. 이런 게 제게는 결혼의 가장 큰 방해요인입니다.

영국에 살 때의 일입니다. 결혼과 육아에 대해서 영국이 사실 더 돈이 많이 들고 힘든데, 거기는 당연하게 결혼하고 당연하게 애를 낳고 삽니다. 그런 이유가 뭘까라고 생각해 보니, 개인주의라서 가능한 것이 아닐까라는 생각이 들었습니다.

한국은 어중간한 개인주의인 게 문제라고 생각합니다. 우리는 아직까지는 항상 개인만 생각할 수 없는 상황입니다. 위로든 아래로든 가족을 부양해야 한다는 부담감을 모든 세대가 가지고 있음과 동시에 개인의 자유와 욕망을 추구하는 시대를 살고 있습니다. 만약 유럽 수준으로 자신의 책임을 다하면서 권리를 누리는 좀 더 발전된 개인주의 사회에 도달하게 된다면, 우리는 각 세대가 각자 자기 삶을 살고 서로에게 부담감을 덜 느끼게 되지 않을까 합니다.

명절에 부모님 만나는 게 부담스러울 때가 있습니다. 내가 '아들'의 역할을 해야 하는 게 있기 때문입니다. 하지만 각자 잘 살다가 각자 잘 만났다면 (서로에게 책임을 지지 않는 그런 관계면) 오랜만에 만나는 가족이 참으로 순수하게 반가울 것 같습니다.

물론 이 단계까지 오려면 최소한 저녁이 있는 삶과 생존에 필요한 복지가 국가로부터 보장되어야겠죠

마저 나누지 못했던 생각들

10장 :
p.434 상대적으로 고등인 생물의 변화 속도가 명백히 더 빠른 이유를, 고등 생물일수록 유기적, 무기적인 생활환경과 더욱 복잡한 관계를 맺고 있다는 사실을 바탕으로 이해할 수 있을지도 모른다.

고등생물이 빠른 변화를 한다는 점에 미루어보아, 인간의 각 특징도 변화 속도가 다르지 않을까 하는 생각이 듭니다. 스스로의 특성 중 빠르게 변화하고 있는(좋은 쪽이든 그렇지 않은 쪽이든) 부분이 있을까요? 그리고 인간의 어떠한 특징을 변화시켜야 종의 번식에 유리해질까요?

11장 : 지역 간 유기체의 모습과 특성이 변화하는 이유가 주변환경, 유기체 간의 상호작용 등이라면, 고대인류로부터 진화해 온 인간은 현재 인간을 나누는 기준 중 하나인 인종의 측면에서 각 인종의 다양성은 어떻게 뚜렷해졌을까요? 피부색, 골격, 사고방식 등 인종간의 어떠한 차이로도 생각해보면 좋을 것 같아요 :)

은수의 질문들

다른 박물학자들의 성취, 다른 생물학자들의 성취, 다른 분야 학자 (지질학자)들의 성취가 모여 하나의 천재를 만들어 냅니다. 종의 기원에 있는 무수한 사례들은 그 한 줄 한 줄이 누군가의 논문들이었을 것이고 결국 그 시대까지 축적된 사회적, 학문적 기반이 다윈을 낳고 종의 기원을 낳았던 것입니다.

이런 것들을 보면 세상을 뒤바꿔 버린 듯이 보이는 천재도 (오펜하이머도 러더퍼드나 닐스 보어가 없었다면..) 사실은 그저 세상이 스스로 변화하려던 시기에 존재했던 사람 중 하나일 뿐이었다는 생각도 듭니다.

Q. 우리 시대가 우리에게 준비한 질문은 무엇일까요? 세상은 자신이 낳은 천재들을 통해 어떻게 변화하길 바랄까요? 그리고 우리 시대정신 (Zeitgeist)은 어떻게 기억될까요? 다수의 사람들이 가지고 있던 신념 중에 어떤 것이 깨지게 될까요? 그것은 긍정적인 방향일까요?

유발 하라리의 호모데우스에는 이런 내용이 나옵니다. 지난날 인류를 발전시키는데 인간의 자유의지를 강조하는 인본주의가 많은 기여를 한 것은 사실이다. 하지만 인본주의는 인간의 욕망만이 세계에 의미를 부여한다고 생각하고, 이제 그 욕망은 신기술의 도움을 받아 어떤 마음의 능력을 개발할지 선택하여 우수한 인간 모델인 '호모 데우스'를 만들어내라고 요구한다. 욕망 그 자체를 조종하고 선택할 수 있는 그런 기술들은 역설적으로 인본주의가 숭배하는 인간의 자유의지 따위는 없음을 폭로할 것이고, 인간을 업그레이드하는 과정에서 인본주의를 붕괴시킬 것이다. 그렇게 되면 세계는 더 이상 인간의 욕망과 경험을 중심으로 돌아가지 않을 것이다.

인간의 욕망이 한계에 도달하고, AI가 인류를 위협하는 어떤 특이점에 도달한 사회가 분명 21세기에 도래할 것입니다. 좀 더 직설적으로 말하면 우리가 죽기 전에 경험할 미래일 것입니다. 이러한 위협들에 인류는 어떻게 대답해야할지가 위의 질문에 대한 하나의 예시가 될 수 있을 것 같습니다.

윤정:
이전에는 의식주라는 전 인류가 고민하는 하나의 문제가 있었다고 생각합니다. 문명이 발전하고 나서도 꽤 오래 우리

는 기근을 걱정했으며 인간이 해결할 수 없는 자연적 문제에 대해 신을 대입하고는 했습니다. 하지만 이제는 많은 것들이 사라졌습니다.

인류가 같은 문제를 공유하고 있지 않습니다. 하지만 문제가 없다고 보이지는 않습니다. 그래서 저는 옳은 문제를 찾아야 한다고 생각합니다. 제 생각에는 많은 문제들이 문제를 옳게 정의하면서 해결되기 시작한다고 생각합니다.

사실을 객관적으로 파악하고 인과관계를 정확하게 도출하여 내려진 문제는 문제만으로 가치가 있습니다. 우리 사회에서 무엇이 문제인지, 어디가 문제인지를 진단하는 과정이 필요하다고 생각합니다.

눈에 띄는 천재는 존재하지만 그 천재가 무슨 일을 할지, 어떤 발견과 발명을 할지는 그 당시 사회와 문화가 결정합니다. 천재는 기회라고 생각합니다. 기회는 준비된 자에게 온다는 말처럼 옳은 방향으로 나아가고 있는 상황에서 천재가 등장한다면 우리는 우리가 꿈꾸는 것에 더 빠르게 다가갈 수 있을 것입니다.

세계적으로 오랜 평화 끝에 여러 전쟁이 다시 발생하고 있습니다. 불과 3년 전에 나온 책에서는 해당 시점이 세계적으로 인류가 가장 적게 죽은 년도임을 그래프로 나타내고 우리는 이제 평화의 시대에 살고 있다고 했으나 요즘 들리는 뉴스들에서는 그렇지 않습니다. 기후 위기등과 같은 진짜 문제를 두고 각자의 이익을 위해 폭탄을 터뜨리는 상황입니다.

인류는 점점 좋은 세상을 만들고 있으며, 이성과 과학 위에 질서 있는 모습으로 살아가고자 하고, 타인과 타인종을 넘어 다른 생물들에까지 공감하는 능력이 발전하고 있다는 낙관적인 생각을 무너뜨립니다. 이러한 인류의 어리석음을 극복하기 위해 어떤 방향으로 나아가야 할까요.

은수 : 유발 하라리가 사피엔스에서 언급한 구절을 인용하자면 함무라비 법전, 미국의 독립선언문, 그 다음은 무엇일까요?

뎁씨 :

너무 유행이나 하나의 메타를 따라 가는 추세로 '다양성'이 오히려 퇴보하는 것, 이 현상이 현 인류가 대답하고 넘어가야 할 질문인 것 같다. 나는 '다양성'이 생존과 또 영혼적으로, 철학적으로도 중요하다고 생각하지만 또 지금 번성하는 인류를 보니(또 과통제 되는 중국이 우세종이 되어가는 것을 보니) 다양성이 퇴보가 맞나? 라는 생각도 든다.

꼰대가 필요하다! 꼰대들이 소위 권력형 물리력을 행사하기 때문에 적대적인 워딩이 되었지, 사실 자신이 지닌 고유 특성을 타협하지 않는 자세이기도 하다(권력형 물리력의 행사가 공통인자면 다양성이 맞는가?라는 또 생각).

세상에 정답은 없다. 다음 세대가 발전한다고 우주적인 참이라는 것은 없다. 단지 다음 세대가 통상 더 많은 인구수를 차지하는 '다수'가 되어가기 때문에 인식적 공감력이 기성세대의 권력과 다툼이 일어나는 것뿐. 사실 저출산이 반복되는 한국의 경우, 소위 꼰대가 상대적으로 더 많아지게 될 것이다 (사망률을 감안하더라도 이전 세대가 오히려 더 다수 생존하는 중인 현상).

어느 순간에 다음 세대가 아닌 기성세대가 맞았다!라는 프로파간다가 생길지도 모르겠다. 다만 좀 배려라는 게 있으면 좋겠지만 약육강식의 논리에서 그저 희망회로일 뿐. 훗날 이 세대를(한국 등 저출산 국 한정) '변하지 못한' 세대로 기억될 거고 또 암흑의 세대라고 불려질지도 모르겠다. 아니다, 우세종인 중국에 밀려 멸종해서 가십거리도 되지 않으려나.

람 :
우리가 17세기까지는 우리가 우주의 중심이라고 여겼던, 다윈의 종의 기원 이후에 진화에 의해서 존재한 생명체일 뿐

이다. 고등생물이라고 하지만, 종을 형성하고 있는 것도 우연일 수 있다. 겸손해야겠다.

갈수록 우리 인간은 겸허해질 것이다, 우리가 활동하는 반경은 극히 제한적이구나.

나는 한낱 존재에 지나지 않는다. 인간은 대단하다고 하지만 아무것도 아닙니다. 인류가 출현한 지를 시간으로 따져보면 진짜 찰나입니다. 시대정신은 우주에 대한 겸손함 , 4가지의 힘이 통합이 될 때, 우리가 우주로 진출할 수 있는 베이스가 될 것입니다. 단순한 하나의 명제가 완성이 되면 그제야 우주로 갈 수 있지 않을까.

연경 :

앞서 우리나라의 개인주의는 서양에서의 개인주의와 다르게 억압되어 있던 것을 분출하는 개인주의라고 하신 부분에 대해 이러한 세태로 인한 문제가 너무 많이 발생하고 있는 것 같습니다. 자유라는 것이 자신의 의무와 책임을 다하고 타인에 피해를 끼치지 않는 선에서 누릴 수 있는 것인데 현재 사회의 모습은 자유를 타인의 권리를 해쳐도 자유라고 말하는 부류가 있어 이러한 것을 해결하는 것이 중요한 문제라고 생각합니다.

그래서 속되게 말하자면 남의 눈치를 적당히 볼 수 있는 능력이 꼭 필요한 것 같아요. 눈치를 잘 보고, 잘 읽어서 시대와 사회의 분위기를 잘 파악하고, 타인에 휘둘리지 않고 자기 자신의 것을 지키는 소신 있는 사람이 될 수 있는 사회가 되면 좋겠습니다.

은수 :

종의 기원 책과 관계된 대답: 다윈의 종의 기원은 패러다임을 바꾼 책이라고 생각합니다. 코페르니쿠스가 천동설에서 지동설로, 칸트가 자유의지와 이성의 세계로, 다윈은 창조론에서 진화론으로 기존의 인류가 가지고 있던 세계를 뒤엎어 버렸습니다.

그렇다면 뒤엎어질 수 있는 현대인이 당연하다고 믿는 진실에는 어떤 것이 있을까요?

저는 '인간은 외부환경에 영향을 받는 존재'라는 패러다임이 그것이라고 생각합니다. 자본주의의 고도화로 인해 자신의 잘못이 아님에도 자신이 부족해서 상대적 박탈감을 느끼고 있다고 생각하게 되는 것, 사회 다원화로 인해 수많은 가치들이 충돌하면서 생기는 스트레스들, Ai의 발전으로 인한 인간 소외 현상 등 인류의 마음을 위협하는 수많은 외부환경들이 있지만, 사실 그 모든 것은 마음먹기에 달린 것이고, 내 마음은 내 마음으로만 컨트롤할 수 있게 명상과 마음 수련이 보편화되는 세상이 온다면 어떻게 될까요?

자본주의, 인본주의, 기술의 발달로 인간 소외 현상이 심해지는 것이 미래의 큰 위협이고 시대질문이라고 생각했을 때, 그런 외부적인 위협에 내부적인 마음이 다치지 않는 어떤 강력한 믿음을 인류가 공유한다면, 그 문제를 많이 해결할 수 있을지도 모르겠습니다.

현재 대한민국 사회와 관계된 대답: 우리는 혐오의 시대를 살고 있습니다. 그 혐오를 벗어던지는 것이 현재 우리 세대가 해결해야 할 시대질문이라고 생각합니다. 과거에는 기근, 공산주의 등 공공의 적이 있었습니다.

정치인들은 시민들에게 단합할 수 있도록 적을 제공해 주는 것이 필요한데 그것을 만들기 위해 내부 갈등을 유발하고 있는 것이 아닐까 싶기도 합니다. 그것을 해결할 수 있는 방법은 잘 모르겠습니다. 뻔한 대답은 사랑이고요, 재미없는 정답은 배경지식과 교류를 통해 서로에 대한 이해 증진입니다.

마저 나누지 못했던 생각들

라이엘 경의 비유를 따르자면, 나는 지질학적 기록이란 것은 마치 변화하는 방언으로 저술되었으며 불완전하게 남겨진 세계사와 같다고 생각한다. 이 역사에 대해서 우리는 겨우 두세 세기만을 다루는 마지막 책 한 권만을 가지고 있을 따름이다. 그리고 이 마지막 책 한 권조차도 여기저기에 짧은 장만이 남아 있을 뿐이며, 매 쪽마다 겨우 몇 줄 만이 남아 있다. – *9장 지질학적 기록의 불완전함에 관하여 中*

　기록이 남아 있는 시대를 역사 시대로 정의한다면, 지질학적 기록뿐만 아니라 우리 몸속에 쓰여 있는 유전의 기록까지 읽을 수 있는 현대의 기준으로 그 역사는 훨씬 더 오래전으로 거슬러 올라갑니다. 기록 보관 매체인 DNA는 중간 활용 단계인 RNA copy를 만들 때, Splicing이라는 과정을 거칩니다. 쉽게 말하면 전부 다 복사하면 용량이 크니까 필요한 부분만 압축 파일로 만들어서 첨부파일로 보내겠다는 것인데, 이때 삭제되는 Intron이라는 부분의 양이 상당합니다.

　이 인트론을 우리 유전자에 침입했던 여러 외부 유전자들 또는 우리 유전자들의 과거 흔적기관이라 보는 시각도 존재하는데, 우리 DNA에 존재하는 엄청나게 많은 (캐시 파일이라 볼 수 있을까요...?) 쓸모없는 부분들이 사실은 우리 DNA 가 수억 년간 겪어 온 역사의 흔적이라 생각하면 가슴이 웅장해집니다.

이기적 유전자라고들 하지만, 수억 년 전의 추억도 버리지 못하고 애틋하게 간직하는, 그런 낭만이 있을지도 모르겠습니다.

한 지역의 서식 생물들이 다수가 변화하고 개량되었을 때, 경쟁의 원리 및 유기체 대 유기체 사이에 작용하는 다수의 중요한 관계의 원리에 따르면 서의 변화되지 않거나 개량되지 않는 형태는 무엇이든 막론하고 소멸할 가능성이 높다는 사실을 우리는 이해할 수 있다. 따라서 충분히 긴 시간 간격을 고려한다면, 왜 동일한 지역의 모든 종들이 결국은 변화를 겪는지를 이해할 수 있다. 변화하지 않는 것들은 멸종할 것이기 때문이다. – *10장 유기체들의 지질학적 천이에 대하여 中*

변화하는 세상 속에서의 변화는 뉴턴의 1법칙 관성의 법칙과도 같습니다. 단순한 진화, 계승을 통한 발전은 '관성'에 가깝다고 생각합니다. 관성에 따라 움직이고 변화하는 것은 물리학적으로 봤을 때 힘이 아닙니다. 변화가 아닙니다.

진정한 변화는 뉴턴의 2법칙에서 나오듯이 힘이 필요합니다. 힘은 가속력을 만들고 관성을 이기게 해줍니다. 2법칙에서 주어지는 힘은 외부에서 주어지는 힘이므로 신의 창조와 권능에 가깝다고 생각합니다. 창조론이지요. 그렇다면 생물학에서 진정한 변화를 일으키는 힘은 어떤 힘일까요?

그것은 뉴턴의 3법칙 작용, 반작용의 법칙이라고 생각합니다. 환경에 의한 물리적 영향보다 종 또는 개체 간의 경쟁과 상호작용, 유기적 작용 반작용,에 의해 촉발된다고 생각합니다.

고전 물리의 위대한 법칙은 조금의 변형을 통해 생물학의 위대한 법칙도 설명할 수 있습니다.

각 암석층은 새롭고 완벽한 창조의 행위를 담고 있는 것이 아니라, 그저 우연히 일어난, 서서히 변화하는 드라마의 장면들을 드문드문 기록한 것이다. - *10장 유기체들의 지질학적 천이에 대하여 中*

마치 우리의 사진첩과 같습니다. 사진이 몇 장 남아 있지 않다고 우리의 즐거웠던 순간이 이어지지 않았다고 생각할 수 있을까요? 사실은 사진 찍는 것도 잊을 정도로 즐거웠을 텐데 말입니다.

내 이론에 따르면, 보다 보편적인 의미에서 좀 더 근래의 형태들은 좀 더 고대의 형태들보다 더 고등하다. 새로운 종은 선행한 다른 형태들에 비해 생존 투쟁에서 이로운 몇 가지 특징들을 가지면서 탄생하기 때문이다. *10장 유기체들의 지질학적 천이에 대하여 中*

새로운 기능을 추가하는 것뿐만 아니라 에너지 절약 차원에서 갖고 있는 기능들을 버리는 것도 진화입니다. 퇴화도 진화입니다. 근래로 올수록 더 진화했고 고등해졌을까에 대한 질문이 어려운 이유는 이처럼 진화의 방향성이 다양하기 때문에 고등함에 대한 정의가 어렵기 때문입니다. 하지만 계속해서 다양한 기능이 추가되고 세분화되는 것이 진화고, 고등생물의 조건이라는 표현들이 조금 아쉬운 부분이었습니다.

아마도 우리는 절대로 어떤 강의 구성원들 사이의 복잡하게 얽힌 유연관계를 풀어낼 수는 없을 것이다. 그렇지만 어떤 확실한 목표를 눈앞에 두고, 어떤 미지의 창조 계획에 기대를 걸지 않는다면, 느리지만 확실한 진전을 희망할 수 있을 것이다 - *13장 유기체들의 상호 유연관계, 형태학, 발생학, 흔적 기관 中*

우리는 증명할 수 없습니다. 알 수 없습니다. 진화를 비롯한 모든 자연법칙 그 자체가 창조되었을 수 있고, 진화론 그 자체도 창조되었을 수 있고, 진화론을 믿도록 하는 현상조차도 창조되었을 수 있습니다. 인간은 신과 종교를 만들 때, 도저히 상상하거나 이해하기 어려운 세상의 조화에 대한 답을 주고 그것으로 사회의 안녕을 유지하려는 목적이 있었습니다.

하지만 세상의 조화에 대한 진정한 답에 가까운 나라일수록 국력이 강해지고 답에서 멀어지는 (과학 기술력이 떨어지는) 나라일수록 사회의 안녕을 기대하기 어려운 이 살벌한 국제 정치 환경 속에서, 우리는 어떤 미지의 창조 계획에 기대를 걸지 않고 확실한 진전을 희망해야 할 것입니다.

종의 기원이 나오고 거의 200년이 지난 지금, 어떤 미지의 창조 계획에 기대를 걸지 말자라는 말은 국가의 존망과도 연결되어 있을 수도 있겠습니다. 그리고 이것이 영국이 국제 정치학의 발전을 바탕으로 국제 정치를 맘껏 주무르던 시대에 나왔던 책이라는 점도 재밌는 부분입니다.

흔적 기관들은 어떤 단어에서 철자는 남아 있지만 묵음이 되어 버린 글자에 비유할 수 있다. 이때 그 글자는 단어의 어원을 찾는 데는 유용한 실마리가 된다. 변화를 동반한 계승이라는 시각에서 우리는 흔적 상태, 불완전한 상태. 그리고 쓸모가 없는 상태로 있거나 아니면 완전히 사라진 기관들의 존재가, 몰랐던 난제를 제시하기는커녕 대물림의 법칙으로 설명될 가능성이 있으며 실제로 설명된다는 결론을 내릴 수 있다. 이는 일반적인 창 조원리로 보면 확실

히 불가능한 일이다 - *13장 유기체들의 상호 유연관계, 형태학, 발생학, 흔적 기관 中*

정말 놀랍게도 창조된 문자인 한글은 쓸모없는 (소리를 지정하는 기능이 없는) 글자가 없습니다.

영어의 경우 묵음이라는 (' K'night) 흔적 기관들이 존재하죠. 한글과 영어를 창조론과 진화론에 빗대어서 비교해 보면 재밌는 부분들이 많습니다.

인간은 가변성을 만들어 낼 수 없다. 인간은 단지 무심코 유기체를 새로운 생활 환경 조건에 노출시킬 뿐이고, 그 유기 조직에 작용해 변이를 유발하는 것은 그 이후에 자연이 하는 일이다. 그러나 인간은 자연이 그에게 가져다준 변이를 선택할 수 있고, 실제로 선택하고 있다. 그런 방식으로 변이가 어떤 원하는 방향으로 축적되는 것이다. 이를 통해 인간은 동식물을 인간의 이익 또는 즐거움을 위해 적응시킨다 - *14장 요약 및 결론 中*

인간은 다른 생명체의 변이를 원하는 방향으로 축적시킬 수도 있지만 본인 스스로의 변이도 원하는 방향으로 축적시킬 수도 있다고 생각합니다. **다들 습관 또는 환경을 통해 축적시키고 있는 변화가 있으신가요?** 저는 올해 식물을 3개 정도 키움으로써 무언가를 돌보는 마음을 기르고 집안의 환경에 신경 쓰면서 저의 심리적, 육체적 건강을 도모하고자 합니다.

먼 미래에는 더욱 더 중요한 연구 분야가 개척될 것이라 나는 생각한다. 심리학은 점진적인 변화를 통해 정신적인 힘이나 역량이 필연적으로 획득된다는 새로운 토대에 근거해 그 기초가 세워질 것이다. 또한 인류의 기원이나 역사를 이해하는 데도 서광이 비칠 것이다 – *14장 요약 및 결론 中*

수많은 변이의 축적을 통해 '정신'이라는 것이 개발됐다는 사실은 정말로 놀랍습니다. 이토록 이질적인 능력이 있을까요? 진화에 대한 연구를 통해 심리학의 발전을 도모할 수 있다는 것이 생각해 보면 당연하지만 생각해 보지 않은 질문이어서 흥미로웠습니다.

수많은 종류의 식물들이 자라나고 있고, 덤불에서 노래하는 새들과 여기저기를 날아다니는 곤충들 그리고 축축한 땅 위를 기어다니는 벌레들로 가득 차 있는 뒤얽힌 둑(entangled bank)을 지켜보면 참으로 흥미롭다. 또한 서로 너무나도 다르고, 매우 복잡한 방식으로 서로 얽혀 있는, 정교하게 구성된 이런 형태들이 모두 우리 주위에서 일어나는 법칙에 의해 탄생되었다는 사실을 떠올려 보면 흥미를 느끼지 않을 수 없다 – *14장 요약 및 결론 中*

당신은 일상 속에서 진화를 느껴본 적이 있나요? 생명의 신비 또는 그 조화에 대해 감탄해 본 적이 있나요?

저는 사실 한번씩 제가 살아있다는 것이 굉장히 신기합니다. 우주 저 아득히 멀리에서 날아온 원자들이 모종의 이유로 (번개 등을 통한 분자 구조 형성…?) 단백질이라는 것을 만들고 그것이 모여 생물이 되고, 이제는 나는 누구인지를 묻는 수준까지 이르렀다는 것이요. 이따금씩 아 나는 동물이구나 싶으면서도 아 나는 또 자유의지와 이성이라는 것이 있구나라고 느끼는 그 순간의 갭차이, 좋은 음악을 들을 때 참 세상은 아름답구나라는 감정, 끊임없이 요동치는 인류애를 통해 나는 정말로 엄청나게 많은 우연으로 탄생한 필연이구나를 느낍니다.

생명의 신비 또는 그 조화에 대한 감탄? 비스무레한 것을 느낍니다. 제 자신을 통해서요. 이러한 생각을 하고 있는 나 자신의 존재는 부정할 수 없기에, 나의 존재를 통해 나는 생각합니다. 고로 진화라는 개념은 존재한다는 것을요

END : Too Much Talking을 맺으며

뎁씨

이번 마지막 종의 기원을 읽으면서 저에게 인상 깊게 다가온 단어가 있습니다. 바로 '창조의 단일 중심지'. 이 개념이 다윈이 살았던 시대의 발작버튼이 된 것이 아닐까? 생각해 봅니다.

다윈의 합리적인 생명의 변화에 대한 의구심이 아무리 신의 영역을 축소했다 한들, 여전히 우리에게는 수많은 의문들과 추론할 수도 없는 과거의 타임라인들이 남아있습니다. 이 책으로 내가 생물학에 대해 얼마나 더 알게 되었을지는 모르겠으나, 평소 상상도 하지 못했던 '인과관계'에 대한 다양한 추론적 시도를 할 수 있는 능력을 일깨우는 계기가 된 듯합니다.

변화에는 반드시 이유가 있을 것이고, 항상 새로이 의심하고 탐구하며, 인간은 늘 그랬듯 답을 찾아내 갈 것이라는 것. 물리학자 김상욱 교수님의 말이 또 와닿는 날입니다. 과학은 지식이 아니라 ' 태도' 이니까.

연경

　작은 호기심으로 인해 '종의 기원'이라는 생물학의 바이블과 같은 책을 읽게 되었는데, 잘 마칠 수 있었다는 점에서 스스로와 우리 모임원들을 칭찬하고 싶습니다. 사실 생물에 관심이 있거나 전공이 연관이 있거나 한 것이 아니어서 이해하기 어려운 부분도 많았고 이야기를 할 때도 날카롭지 못한 면이 있어서 조금 아쉬운 부분도 있긴 합니다.

　그래도 처음 뎁씨님이 올린 공지대로, 잘하는 사람이 아닌 잘하고 싶은 사람이 된 것 같아서 목표를 달성했다고 생각합니다.

　2+@번의 모임을 하면서 몇 시간 동안 이야기를 하고, 이야기를 들으면서 지루한 순간이 한 번도 없었다는 것에 다시 생각해 보니 새삼 놀랍기도 합니다. 관련 전공을 하셔서 전문적인 내용을 이야기해주시기도 하고 혼자서는 생각지도 못했던 내용을 듣기도 해서 꿈하의 첫 모임으로 LP를 선택하지 않았으면 독서모임에 이만큼의 큰 흥미를 가질 수 있었을까 하는 마음입니다. 나만 알고 싶은 최애 모임인 LP1기!! 2기도 많이 기대됩니다:)

윤정

　애초에 책을 깊이 있게 읽고 다양한 의견을 나누고 싶어서 신청했던 독서모임이었습니다. 뎁씨님의 LP1기 공지글은 제가 추구하는 독서모임의 방향과 정확하게 일치했고 일말의 고민 없이 참석을 희망했습니다. 과학적 사실에 대한 벽돌책이 그러하듯 지루하고 힘든 부분이 없지 않았지만, 모든 글자를 읽어 내려갔다는 것에 만족합니다.

　하지만 본 모임의 진짜 의미는 '독서'에 있지 않았습니다. 같은 사회를 같은 시기에 비슷한 나이대로 살아가는 다양한 사람들과 이야기를 한다는 것은 생각보다 더 즐거운 경험이었습니다. 책의 내용은 '종의 기원'에 대한 다윈의 의견이며 진화론을 설명하기 위한 귀납적 논문이었으나, 우리의 대화는 현대 사회의 전반을 겨냥했습니다. 사실 종의 기원에 대한 독서 토론이라기 보단 종의 기원은 거들뿐, 우리의 관심과 시선을 나누는 시간이었습니다.

　우리는 깨어있는 시간의 대부분을 인터넷과 연결되어 생활하고 그 속에는 너무나도 다양한 정보와 의견이 있습니다. 하지만 저는 불충분하다고 느낍니다. 보고 지나면 휘발되는 글자들의 나열이 대다수라는 생각이 듭니다. 오히려 보고 나면 불쾌한 글들도 많습니다. 그래서 제가 책을 읽고자 했던 것인지도 모릅니다. 그런데 본 모임을 하면서 책 속의 글자들이

나의 현재와 이 시대를 만나 살아나는 것 같았습니다. 다른 분들의 의견과 해당 의견을 내기 위해 했던 생각의 흐름, 근거들이 책을 더 풍부하게 기억하게 해 주었습니다.

쉽지 않은 이 책을 함께 읽고 더불어 저 또한 완독하게 해 주어서, 생각지 못했던 다양한 의견들과 본인의 개인적인 경험을 기꺼이 나누어 주어서 감사합니다. 덕분에 종의 기원이 제가 읽은 책 중 손에 꼽히는 진한 기억으로 남을 수 있을 것 같습니다. 앞으로의 LP도 잘 부탁드립니다!

편집장의 말

생각과 감정을 적어본다는 것은 업무 할 때 문서기록을 남기는 것과 같다고 생각합니다.

업무에서의 기록은 돈의 출처를 증명하기 위해 남기는 것이고, 우리가 남겼던 모든 글은 현재 '나'의 출처를 증명할 수 있는 근거가 될 날이 올 겁니다.

쫑의 기원

The End

LP # 1기 멤버

은수 : 단백질 기계

연경 : 브로콜리

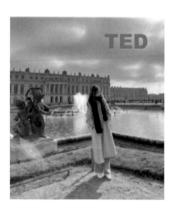

윤정 : TED정

명진 : 먹을복 없음

뎁씨 : 비둘기

람

종의 기원 : 현대의 보편

발 행 | 2024년 2월 27일

저 자 | 뎁씨, 은수, 연경, 람, 윤정, 명진

펴낸이 | 뎁씨

펴낸곳 | 주식회사 부크크

출판사등록 | 2014.07.15.(제2014-16호)

주 소 | 서울특별시 금천구 가산디지털1로 119 SK트윈타워 A동 305호

전 화 | 1670-8316

이메일 | info@bookk.co.kr

ISBN | 979-11-410-7394-7

www.bookk.co.kr